Filho único de pai militante comunista e de mãe costureira, Manuel Vázquez Montalbán nasceu em Barcelona, em 14 de junho de 1939, alguns meses depois do término da Guerra Civil Espanhola. Formou-se em filosofia e literatura na Universidade de Barcelona, onde conheceu sua futura esposa, a historiadora Anna Sallés, e em jornalismo, na Escola de Jornalismo de Barcelona.

Montalbán juntou-se à resistência contra a ditadura de Francisco Franco, tornando-se mais tarde líder regional do Partido Comunista. Em 1962, após participar de uma manifestação política, Montalbán e sua esposa acabaram presos. Foi na prisão que ele escreveu seu primeiro livro, o ensaio *Informe sobre la información*. Após receber um indulto que encurtou sua pena, sem perspectiva de trabalho como jornalista, tornou-se pesquisador da enciclopédia Larousse.

Sua carreira no jornalismo deslanchou com o lançamento da revista *Triunfo* em 1966, veículo para o qual escreveu grandes ensaios, reunidos posteriormente no exitoso livro *Crônica sentimental da Espanha* (1971). Foi também colunista de jornais de peso como *La Repubblica*, *Le Monde Diplomatique*, *La Vanguardia* e *El País*, escrevendo para até sete publicações ao mesmo tempo. No ano seguinte, publicou seu primeiro livro de poemas, *Una educación sentimental*. Grande parte de sua obra lírica foi reunida no volume póstumo *Memoria y deseo* (2008).

Em 1972 publicou o primeiro romance protagonizado por Pepe Carvalho, *Yo maté a Kennedy*. Nascido na Galícia, Pepe Carvalho, seu maior personagem, era um antigo comunista e ex-agente da CIA que tinha como hobby queimar livros e percorrer restaurantes pelas ruas de Barcelona em busca das mais saborosas especialidades da cozinha catalã – duas das paixões do próprio Montalbán, sua cidade natal e a gastronomia –, tendo como parceiro Biscuter, seu fiel escudeiro. A série de mais de vinte romances protagonizados pelo detetive Pepe Carvalho transformou Montalbán num dos escritores mais lidos na Espanha e de maior difusão internacional, com grandes sucessos de público e crítica como *Os mares do Sul*, *Los pájaros de Bangkok*, *El premio*, *O quinteto de Buenos Aires* e *O homem da minha vida*. Foi também uma das vozes críticas mais respeitadas do país e sua obra é considerada um dos mais importantes testemunhos do final do franquismo e da transição espanhola.

Ao longo da carreira, o autor recebeu inúmeros prêmios literários, como o Planeta, em 1979, e o Grand Prix de Littérature Policière, em 1981 por *Os mares do Sul*. A partir desse reconhecimento pôde se dedicar com afinco à literatura. Em 1995, recebeu o Premio Nacional de las Letras Españolas em reconhecimento pela sua obra. Desde 2004, um prêmio que leva seu nome homenageia anualmente o trabalho de um jornalista esportivo. Entre os premiados se destacam Tostão, Eduardo Galeano e Nick Hornby.

Morreu em decorrência de um infarto no aeroporto de Bangcoc, na Tailândia, no dia 18 de outubro de 2003. Com ele se encontravam as provas do último romance protagonizado por Pepe Carvalho.

Manuel Vázquez Montalbán

ASSASSINATO NO COMITÊ CENTRAL

Tradução de MARLOVA ASEFF

www.lpm.com.br

Coleção **L&PM** POCKET, vol. 1246

Texto de acordo com a nova ortografia.
Título original: *Asesinato en el Comitê Central*

Primeira edição na Coleção **L&PM** POCKET: junho de 2017

Tradução: Marlova Aseff
Capa: Ivan Pinheiro Machado. *Ilustração*: iStock
Preparação: Marianne Scholze
Revisão: Simone Diefenbach

CIP-Brasil. Catalogação na publicação
Sindicato Nacional dos Editores de Livros, RJ.

M763a

    Montalbán, Manuel Vázquez, 1939-2003
        Assassinato no Comitê Central / Manuel Vázquez Montalbán; tradução Marlova Aseff. – 1. ed. – Porto Alegre, RS: L&PM, 2017.
    288 p. ; 18 cm.   (Coleção L&PM POCKET, v.1246)

    Tradução de: *Asesinato en el Comitê Central*
    ISBN: 978-85-254-3590-3

    1. Ficção espanhola. I. Aseff, Marlova. II. Título III. Série.

17-41384   CDD: 863
                              CDU: 821.134.2-3

© Manuel Vázquez Montalbán, 1981, and Heirs of Manuel Vázquez Montalbán

Todos os direitos desta edição reservados a L&PM Editores
Rua Comendador Coruja, 314, loja 9 – Floresta – 90220-180
Porto Alegre – RS – Brasil / Fone: 51.3225.5777 – Fax: 51.3221.5380

Pedidos & Depto. Comercial: vendas@lpm.com.br
Fale conosco: info@lpm.com.br
www.lpm.com.br

Impresso no Brasil
Inverno de 2017

*À Josefina Sallés porque sim,
e a Javier Alfaya conforme o combinado.*

"Libertamo-nos da fé cega acientífica, e reforçou-se em nós esta fé a que se referia Marx quando dizia que os comunistas são capazes de 'assaltar os céus'. Quando essa fé esfria, quando se começa a duvidar, quando nos tornamos descrentes, começamos a deixar de ser comunistas. Essa é a verdade."

Irene Falcón
(citada por Jorge Semprún em *Autobiografia de Federico Sánchez*)

Mas a morte mostra de repente que a sociedade real mentia.

Georges Bataille
(*Teoria da religião*)

NOTA DO AUTOR

Diante da previsível e perversa intenção de identificar os personagens deste romance com personagens reais, o autor declara que se limitou a utilizar arquétipos, mesmo que reconheça que às vezes os personagens reais comportam-se como arquétipos.

Arquétipo: tipo soberano e eterno que serve de exemplo e modelo ao entendimento e à vontade dos homens.

(Do *Dicionário da Real Academia*)

Santos EMBARALHOU as pastas distraidamente. A simulação de alguma atividade o dispensava de cumprimentar um por um os que iam chegando.

– Estas ficaram arrumadas e sem par na última reunião.

A secretária mostrava um monte de pastas abandonadas, empilhadas num canto do balcão, cheio de arquivos e pastas novas nas quais os membros do Comitê Central do Partido Comunista da Espanha encontrariam a ordem do dia, o esqueleto do relatório político do secretário-geral e a intervenção completa do responsável pelo Movimento Operário.

– No meu tempo se dava a vida para ser membro do Comitê Central, e hoje se esquivam nos fins de semana.

Santos sorriu para Julián Mir, o responsável pela organização.

– Não troco estes tempos por aqueles.

– Não, Santos, eu também não, mas me dá raiva a falta de consideração de alguns camaradas. Tem quem viaje setecentos quilômetros num trem para vir à reunião, e tem quem fique em Argüelles, a meia hora de táxi.

– Bem, o que faço com as pastas dos que não vieram à reunião anterior?

– Junte-as com as de agora.

A moça obedeceu à decisão de Santos, e Julián Mir voltou à sua condição de responsável pela organização, examinando com olhos de especialista as entradas e as saídas de seus subordinados, identificados por uma braçadeira vermelha.

– Um dia vamos nos aborrecer. Não gosto deste lugar.

Santos apoiou o mau humor crítico de Mir com um movimento de cabeça ambíguo, que tanto podia lhe dar razão como não. Era o mesmo movimento que vinha utilizando com Mir desde os tempos do Quinto Regimento. Julián não gostava das sombras do entardecer carregadas, aparentemente, de soldados de Franco. Nem das luzes do amanhecer abrindo caminho para a vanguarda dos Regulares. Assim como não gostaria nada, nada mesmo, dos bosques do Tarn, bosques surgidos ainda no Pleistoceno, bem ao gosto das patrulhas alemãs. Não gostou, portanto, das ações que o encarregaram no interior, mas as realizava com a desdenhosa segurança de um herói de faroeste.

– Muitas dificuldades?

– Quatro fascistoides mortos de medo.

Mir respondia invariavelmente ao retornar de cada uma de suas expedições à Espanha franquista. Sempre havia sido assim. É provável que já tenha nascido assim, pensou Santos, surpreso de repente diante da evidência de que Julián Mir tinha nascido algum dia, havia muito tempo, tempo demais, acumulado agora em seus cabelos tão duros como brancos, em sua musculatura de velho atlético, já muito responsável por um rosto de galo de briga.

– Não gosto deste lugar.

– Tá certo. E onde você quer reunir o Comitê Central?

– Exceto em locais esquecidos por aí. É disso que me queixo. E um bom lugar central, como têm todos os partidos comunistas apresentáveis. Você acha justo?

Aqui mesmo, ontem, houve uma convenção dos anabatistas da base de Torrejón de Ardoz. E olhe aquele painel. O que diz ali?

– Teria que colocar os óculos para enxergar.

– Ora, vamos. Desde que você virou um burocratazinho do partido, está perdendo as faculdades. Eu posso ler muito bem: conferência "A senda do espírito no caminho do corpo" pelo iogue Sundra Bashuartï. Foi isso que fizeram aqui ontem. Já não sei se isto é uma reunião do Comitê Central ou uma concentração de faquires. Os comunistas num hotel, como se fôssemos turistas ou vendedores de roupa íntima.

– Você está num dia ruim.

– E um dia um comando de fascistoides vai se infiltrar entre nós disfarçado de orquestra tropical, porque de vez em quando se escuta a música do salão de baile.

– É música ambiente.

Santos abandonou Mir ao seu mau humor para receber um frenético abraço do camarada prefeito de Liñán de la Frontera. Não perdera as faculdades. A memória de Santos seguia sendo argila fresca em que ficavam gravados todos os rostos do partido, e seus braços continuavam respondendo com herculéo desespero os abraços soviéticos com os quais os camaradas mais distantes se empenhavam em comprovar a resistência de seu já velho esqueleto.

– Por que nos abraçamos assim? – Fernando Garrido perguntou a ele um dia.

Ele encolheu os ombros.

– Provavelmente desde a guerra. Qualquer despedida ou qualquer encontro tinham muita importância.

– Eu acho que é influência soviética. Os soviéticos sempre se cumprimentam assim. E ainda bem que não inventamos de nos beijar como eles.

— Nem me fale, rapaz. Cada vez que me davam um beijo na boca, eu não sabia o que fazer, se lhes dava um chute nos ovos ou aceitava o afago.

Garrido estava mesmo atrasado. Os camaradas formavam rodas no vestíbulo do salão onde se realizaria a reunião; as rodas resistiriam até que a porta se abrisse para dar passagem à corrente elétrica que sempre anunciava as entradas de Garrido. Então os círculos se abririam como olhos para contemplar uma vez mais o milagre repetido da encarnação da vanguarda da classe operária na pessoa de um secretário-geral. Santos decidiu fazer uma última inspeção na sala de reuniões antes que ocorresse a entrada de Garrido sob o manto invisível da História. Do umbral da porta, às suas costas, o burburinho crescente das conversas mornas como uma digestão, e diante dele a solidão da sala de convenções do hotel Continental, a profilática concentração simétrica das mesas e das cadeiras protegendo, sem o calor de couro ou tecido, o baixo estrado onde exercia o poder, a mesa em que se sentariam Garrido ao centro, dois camaradas do Comitê Executivo à direita e outros dois à esquerda.

— O som está bom? Testou o gravador?

As cabeças responsáveis disseram sim para Santos.

— Quem vai se sentar hoje junto com o Fernando?

— Martialay, Bouza, Helena Subirats e eu.

— A unidade dos homens e das terras da Espanha.

— O Martialay não vai se sentar por ser basco, mas porque é o responsável pelo Movimento Operário.

— Eu sei. Eu sei. Era uma brincadeira.

— É que hoje o tema é monográfico.

Santos respondia ao jovem irônico e ao mesmo tempo repassava mentalmente a sua filiação. Paco Leveder, professor de Direito Político, da safra do Sindicato Democrático. "Será um bom parlamentar", Garrido havia comentado quando ouviu uma intervenção naquele colégio de Ivry cedido pelo Partido Comunista Francês para uma reunião clandestina com os quadros universitários do interior. Agora era simplesmente um parlamentar.

– O Garrido está atrasado.

– Não apenas o Garrido. Falta quarenta por cento do Comitê Central. A noção de pontualidade é a primeira que se perde na legalidade. Certamente, você não veio à reunião anterior e não se desculpou pela ausência.

– Avisei a Paloma por telefone. Tive um ato.

– Você sabe que as reuniões do Comitê Central estão acima de qualquer ato, mesmo que sejam atos do partido.

– Agora você vai me dizer que o Comitê Central é o órgão supremo de direção do partido?

– Não acho que seja necessário.

– Você se lembra de "Terra para quem trabalha" ou "Todo o poder aos sovietes"?

– Já lembrava antes mesmo de você nascer.

– Pois você está muito bem conservado, Santos.

Despediu-se de Leveder com um sorriso e correspondeu às saudações e brincadeiras que vinham de diferentes grupos com um passo cada vez mais apressado até a entrada, de onde Julián Mir lhe fazia sinais de que Garrido havia chegado. E, como se tudo estivesse calculado por um cronômetro onipotente, Julián deixou a porta livre, e Santos chegou até ela justamente no momento em que emoldurou Fernando Garrido. Sorria e avançava. Avançava e cumprimentava. Cumprimentava com as mãos e falava com uns e depois com outros como se recitasse um discurso perfeitamente calculado para a duração do trajeto entre a porta do vestíbulo e a do salão da convenção. As rodas abriam-se até se romperem por culpa dos que estavam empenhados em apertar a mão de Garrido, merecer uma confidência ou oferecê-la diante da solícita, devotada e inclinada cabeça de um secretário-geral vazio de segredos e aberto a qualquer segredo, mas sem se deter, entre Santos e Julián, pisando os calcanhares dos rapazes da organização que apenas deixavam espaço para Martialay no estreito corredor humano. Garrido fez uma parada especial para enfrentar o abraço mortal de Harguindey, vinte anos e um dia de prisão cumpridos com uma obstinação de deus do tempo. Garrido sobreviveu ao repicar das mãos de Harguindey sobre as suas costas e fez uma piada para Helena Subirats que mereceu uma gargalhada geral, mais parecida com uma ovação. Ainda não acreditamos totalmente que possamos nos reunir. Que Fernando esteja aqui. Que haja um furgão cheio de guardas protegendo a entrada lateral do hotel. Santos pensava e ao mesmo tempo respeitava as paradas da procissão pedindo certa urgência em seu avanço. Parou para que Martialay o alcançasse.

– Não pudemos entregar as cópias da sua intervenção com tempo suficiente. Nós a distribuímos somente hoje.

– Como sempre.

– Como quase sempre.

Garrido havia cortado o cabelo; das suas costas saíam vapores de banho recente e loção *after-shave*. Quem te viu e quem te vê. Por um momento, Santos teve a impressão de seguir o Fernando Garrido de mais de quarenta anos atrás, o líder congênito que nas reuniões preparatórias de outubro de 1934 havia lhe dito: "Largue tudo e me siga"; e Santos o havia seguido durante quarenta anos de guerras, exílios, prisões, falsas identidades, incluídas algumas férias na Crimeia e partidas estratégicas de pôquer com os soviéticos.

— Santos.

— Diga, Fernando.

— Queria falar com você e Martialay antes de começar a reunião.

Entraram os três no salão. Julián Mir fechou a porta a suas costas.

— Sigo sem entender bem a decisão de adiar o encontro com os socialistas.

— Insisto que, a quinze dias das eleições sindicais, é preciso demarcar distância. Vai dar confusão, e o PSOE* vai se dedicar à campanha da UGT.**

— De todo modo, qualquer intervenção ou pergunta que seja feita durante a reunião deve ser respondida com certa ambiguidade. As posições claras e taxativas muitas vezes escondem obscuridade e vacilação.

— Achei que tudo estava claro.

— Talvez por isso esteja obscuro. O que você acha, Santos?

— Não é preciso colocar em questão a reunião com os socialistas. Vai parecer tão lógico que a façamos como que não a façamos.

— Isso é verdade.

— Parece um problema bizantino.

— Você sempre está dizendo que não quer ser uma engrenagem do partido, e o partido também não pode ser uma engrenagem sua.

Martialay deu de ombros e foi procurar seu lugar à mesa, mergulhando nas águas datilografadas da próxima intervenção.

— Ele está nervoso.

— Tem seus motivos.

---

* Partido Socialista Operário da Espanha. (N.T.)
** União Geral de Trabalhadores. (N.T.)

Garrido tirou do bolso do casaco um cigarro, como se todo o bolso fosse um maço deles. "Parece que os retira já acesos", havia escrito um jornalista.

– Não vão permitir que você fume.

– E depois dirão que sou um ditador.

Devolveu o cigarro ao bolso:

– Vamos começar.

Santos abriu a porta e foi ocupar seu lugar à direita de Garrido. Dali viu a entrada falante e barulhenta dos membros do Comitê Central.

– Quase uma plenária. Dá para notar que há expectativa. Você viu o *El País*?

– Esses nos fodem com educação. Mas os do *Cambio 16* voltaram a dar como título "A chantagem sindical".

Garrido levantou-se para cumprimentar Helena Subirats.

– Muito boa a sua entrevista no *La Calle*.

– Fico feliz que tenha gostado. O reducionismo dos entrevistadores segue me deixando nervosa.

Santos fez o primeiro shh, pedindo silêncio, seguido pelo shh dos mais veteranos e disciplinados membros do Comitê Central. Santos bateu no microfone com o dedo, e a tosse tuberculosa, eletrônica, exagerada foi mais eficaz que o shh humano.

– Vocês têm a ordem do dia nas pastas.

Sessenta por cento dos reunidos consideraram que era indispensável comprovar a informação. Julián Mir abriu a sala para um quarteto de cinegrafistas da Televisão Espanhola. Banharam de luz a presidência e as primeiras fileiras de mesas, enquanto a câmera tragava a realidade com um ruído sem altos e baixos, como se fosse um animal incapaz de gradações.

– Se quiserem, podem ficar – Garrido respondeu quando os técnicos da televisão se despediram.

– Seria muito interessante, mas temos que filmar o início da reunião da Executiva do PSOE.

– Andem. Mas aqui aprenderiam mais coisas.

– Não duvido.

– As reuniões dos comunistas são sempre mais emocionantes.

Santos respaldava com seu sorriso as gracinhas de Garrido. Martialay seguia brigando com os papéis de sua intervenção. Os da televisão foram embora, fecharam-se as portas, instalou-se o silêncio.

– Vamos acabar logo porque vocês sabem que não posso ficar sem fumar.

Risos.

E, como se as risadas tivessem sido mal recebidas pelos deuses da energia elétrica, faltou luz e um bloco de escuridão instalou-se no salão, sólido, incontestável.

– Esses comandos operários, sempre de greve – comentou Garrido, mas os microfones não amplificaram sua ironia.

Quis falar em tom mais alto, mas não conseguiu. Uma dor de gelo atravessou o colete de lã inglesa e lhe esvaziou a vida sem poder fazer nada para contê-la com as mãos.

A luz voltou, e Santos foi o primeiro a compreender que a cena havia mudado. Não era normal que Fernando Garrido tivesse a cabeça sobre a pasta, uma cabeça ladeada, mostrando a boca aberta e os olhos mais vidrados do que as grossas lentes dos óculos deslocados para a frente. Santos levantou-se, como se alguma coisa lhe salpicasse dolorosamente as pernas, e os demais comunistas foram levantando um após o outro estupefatos, entre prévias perguntas de o que há até um derrubar de cadeiras e fugas para a frente, ao encontro com a evidência da morte.

Foi acordado pela vontade de acordar. Ligou o rádio em plena sintonia de *Espanha às oito*. "Profundas repercussões nacionais e internacionais do assassinato de Fernando Garrido, secretário-geral do Partido Comunista da Espanha." Pesar e dor nacional e internacional. Onde estão as profundas repercussões? O governo espanhol desmentiu que as tropas tenham se aquartelado e que a divisão blindada Brunete tenha realizado manobras táticas especiais. O chefe de governo reuniu-se com o secretário-geral do PSOE e com José Santos Pacheco, do Comitê Executivo do Partido Comunista da Espanha. O comissário Fonseca foi designado pelo governo para comandar a investigação sobre o assassinato de Fernando Garrido.

"O malvado Fonseca ataca de novo", Carvalho disse a si mesmo e desligou o rádio. Os olhos úmidos, sem pálpebras, rômbicos de Fonseca, o suave coelhinho sangrento. E, em sobreposição, um Fernando Garrido com menos 25 anos, peripatético sobre o cascalho de uma casa junto ao Marne, rodeado de jovens estudantes vindos do interior para o cursinho de verão de 1956.

– Se a burguesia espanhola não está disposta a seguir a nossa proposta de reconciliação nacional, não vacilaremos em voltar a pegar em armas e marchar até as montanhas.

– Até que montanhas?

Garrido olhou para ele com um sorriso nos lábios, mas com uma dureza fria nos olhos envidraçados:

– O que você estuda? Ainda não ficou sabendo que a Espanha é um dos países mais montanhosos da Europa?

As risadas dos outros dissolveram a tensão, mas Carvalho percebia de vez em quando os olhos de Garrido sobre ele, como se o advertisse em silêncio, a distância. Cuidado, rapaz. Não se faça de engraçadinho. Este é um assunto sério. Durante o descanso, enquanto procurava solidão e frescor sob os freixos, Carvalho teve a seu lado a companhia de um velho dirigente com a vida e a história cheia de cicatrizes. Uma vida tão exemplar ridicularizava implicitamente a pequena ironia que o estudante havia se permitido pouco antes, desmitificando algo tão drástico como o ser ou não ser da revolução espanhola.

– Você acha estranho que o Garrido proponha o assunto das montanhas, mas pense que há apenas sete ou oito anos ainda estávamos nos montes, perseguidos como feras, e que na Espanha um comunista é torturado de forma selvagem e condenado a centenas de anos de prisão.

Carvalho era muito adolescente para se desculpar e sentia muita admiração para se indignar. Deixou o velho camarada falar e desde então acompanhou as reuniões sem esbanjar qualquer sarcasmo. O regime cairia em outubro, e uma camarada informou que a força do partido era tal que em Barcelona estavam em condições de colocar a cidade em estado de sítio. Influência de Camus, pensou o jovem Carvalho, mas não o disse, e examinou a mulher com o interesse que dispensava às espécies em extinção.

– Eu mesma comprovei, e os camaradas de Barcelona poderão confirmar.

Como se não pudessem fazer outra coisa, os camaradas de Barcelona confirmaram, com certa falta de paixão, mas confirmaram, fazendo uma confusão entre condições objetivas e subjetivas pelas doses de subjetividade necessárias para acreditarem no que diziam. Em seguida, as saudações, as despedidas, as canções:

Tenho que descer até o porto
e subir ao Tibidabo

para gritar com meu povo
Fora, ianques! Morra, Franco!
O sangue espanhol
não é sangue de escravos!

Canções mal cantadas porque só os organizadores do cursinho as sabiam, veteranos comunistas que deveriam recorrer a um visível voluntarismo juvenil quando cantavam.

Jovem Guarda, Jovem Guarda,
não lhes dê paz nem quartel.

Carvalho comprovava que não era possível ir a um cursinho como aquele tendo o espírito marcado pelo lema de Machado: "Duvida, filho meu, da tua própria dúvida".

A primavera chegou
nas asas de uma pomba;
vozes do povo se alçam
sobre a terra espanhola.
Vivam as greves de Barcelona!

Tenho que descer até o porto
e subir ao Tibidabo.

Não fazia outra coisa agora. Descer até o porto em busca de relaxamento entre tediosas esperas e tediosos casos de investigação criminal ou subir ao Tibidabo em busca de sua toca em Vallvidrera, de onde contemplava uma cidade mais velha, mais sábia, mais cínica, inacessível para a esperança de qualquer juventude, presente ou futura. Foi a única vez que viu Garrido como militante. Vinte e cinco anos depois, foi vê-lo num comício para descobrir que os anos não passavam em vão. "Domina a tourada a certa distância", disse a seu lado um almofadinha moreno, prematuro, fantasiado de maduro fantasiado de menino de primeira comunhão. "Onde porra você estava naquele verão de 56?", Carvalho lhe perguntou com os olhos, mas sem a menor esperança de resposta. Os milhares e milhares de assistentes ao ato eram talvez o fruto de anos e anos de exercícios espirituais na França ou nas catacumbas do país, mas o discurso de Garrido seguia sendo o mesmo, seguia sendo a mesma proposta à burguesia de um pacto de progresso se não quisesse voltar ao fascismo ou correr o risco do caos pré-revolucionário. Ali sim havia comunistas suficientes para pôr a cidade em estado de sítio, mas o que se faz depois de ter posto uma cidade em estado de sítio? Junto de Garrido estava sentada a camarada que 24 anos antes sitiava cidades com a imaginação e o desejo. Naquela época ela chamava-se Irene e agora se chama Helena Subirats, diploma de deputada e declarações perfumadas.

– Ditadura? Nem a do proletariado.

Procurou outra emissora de rádio para ver se ampliavam ou complementavam a informação da Rádio Nacional. Uma emissora local tentava entrevistar José Santos Pacheco, inadvertidamente chegado a Barcelona, vindo de Madri no primeiro voo da ponte aérea. Santos tentava evitar as perguntas, mas só conseguia evitar as respostas.

– Foi um crime de um fanático ou o começo de um grande plano de desestabilização da democracia?

– Entenda. Ninguém sabe de nada ainda. Perguntem ao governo. Foi um ato contra a democracia.

– O que o senhor veio fazer em Barcelona?

– Costumo vir com frequência.

– Como o senhor interpreta a designação do comissário Fonseca como investigador oficial do assassinato?

— É uma piada de mau gosto. Fonseca permanece na memória dos comunistas como um dos carrascos prediletos do franquismo.

Fonseca oferecia os cigarros meio aparentes em sua carteira, com o braço meio estendido, a meia-voz, a meio olhar, com aqueles olhinhos feridos pela realidade, cheios de água e ameaças. Carvalho lembrava-se dele desfilando no corredor, olhando caprichosamente os detidos na batida, pedindo um comentário explicativo de seus substitutos barceloneses.

— E este?

— José Carvalho. Um comuna perigoso.

Fonseca conseguiu fechar os olhos de desgosto quando o substituto deu um soco no estômago desprevenido de Carvalho.

— Você e eu vamos falar longamente — ele lhe disse enquanto seguia o exame da carceragem. — Temos toda a noite pela frente.

— Isto é a guerra, chefe.

Biscuter havia conectado o transistor e escutava uma reportagem ao vivo do velório do dirigente do Partido Comunista da Espanha em Madri. Milhares de madrilenos haviam passado diante dos restos mortais de Fernando Garrido em meio a uma impressionante ação policial, complementada pelo aparato militar que podia ser observado nos bairros limítrofes de Madri.

— Por favor, senhor. Uma enquete para a Rádio Nacional. A que o senhor atribui este assassinato?

— Ao fascismo internacional. A quem mais?

— Mas como o senhor explica o fato de o assassinato ter ocorrido dentro de um local fechado, onde só havia comunistas, todos eles membros do Comitê Central?

– Explico como só um bom comunista pode explicar. Foi o fascismo internacional.

– O senhor é militante?

– Sou. Faz muito tempo, sim, senhor.

– Conhecia pessoalmente Fernando Garrido?

– Tive a honra de apertar a sua mão em mais de uma ocasião e fui delegado pela minha célula no congresso de 1978.

– A disputa daquele congresso entre leninistas e não leninistas pode ter repercutido neste crime?

– O senhor nos conhece muito mal. Nós não saímos por aí matando uns aos outros. O senhor vê muita televisão ou viu muito cinema americano. De qual rádio o senhor disse que era?

– Da Rádio Nacional.

– Então não estranho nada.

– Falou bem, *collons**! – explodiu Biscuter.

– Para você tanto fez, tanto faz, Biscuter.

– Mas isso é uma sacanagem, chefe. É preciso reconhecer que o Garrido era um grande cara.

Biscuter não tivera tempo nem de tirar as remelas nem de arrumar minimamente a mesa do escritório.

– Vai tomar café da manhã aqui, chefe? Tenho umas *butifarras*** dos deuses e uns feijões cozidos que sobraram de ontem.

– Ou penso ou tomo café. Preciso escolher.

– O rádio o incomoda para pensar?

– Vou pensar.

Carvalho pegou o telefone, discou um número franzindo o nariz, como se o número cheirasse mal.

---

* Xingamento em catalão. (N.T.)
** Embutido típico da Catalunha. (N.T.)

– Senhor Dotras? Aguardo.

– Eu não sou comunista – confessava outro entrevistado pela rádio –, mas vim me despedir de Garrido porque sou um democrata e isso que fizeram não tem nome. É uma agressão à democracia. Quem fez? A CIA. Os russos. Vá saber, com a quantidade de merda que há na política, com o perdão da palavra.

– Senhor Dotras? É Carvalho, o detetive. Sua filha está numa comunidade de atores de teatro que encena *O círculo de giz caucasiano* em Riudellots de la Selva. Está bem. Só fazem uma encenação por dia. Nem me fale. Eu não vou buscá-la, isso é com o senhor. De nada. Mandarei a conta. A peça? Decente. Um pouco subversiva, mas não há nus. Não se preocupe. Bom. Podia ter sido muito pior. No último caso que tive parecido com o seu, a menina estava em Goa com uma diarreia de não poder se mexer. Tiveram de repatriá-la num avião da Cáritas. Às suas ordens.

– Ouça o que este reaça está dizendo, chefe! Escute!

– ...é preciso acabar com este pesadelo político. Eu não sou contra os políticos como pessoas, mas sou, sim, contra os políticos como políticos. Desde que Franco morreu, essa praga caiu sobre nós.

– Quero tomar café, Biscuter. Mas não essa pedra que você me ofereceu. Pão com tomate, *catalana* bem trufada, umas azeitonas cortadas, um clarete gelado no garrafão. Coisas suaves. Estou cheio de toxinas.

Biscuter enfiou-se na cozinhazinha situada no corredor que levava ao banheiro. Assobiava contente ou repetia a si mesmo o pedido com a melodia da canção "Três moedas na fonte". Carvalho desligou o rádio e começou a organizar os papéis sobre sua mesa de escritório anos 40, com um verniz que tentava ressaltar a cor da madeira até constituir uma brilhantina para móveis entre o neoclássico e o funcionalismo entreguerras. Separou um papel no qual Biscuter havia escrito: "Visita importante às 11h".

– Por que essa visita é importante?

– Porque me disseram.

– Disseram que eram importantes?

– Disseram que era um assunto muito confidencial e muito importante. Até me perguntaram se o senhor estaria completamente sozinho.

Subia um alvoroço das Ramblas. Carvalho se debruçou na janela. Duzentas ou trezentas pessoas avançavam em fileiras, de braços dados: "Vocês, fascistas, são os terroristas!"; "Irmão Garrido! Não será esquecido!".

– Pegue, Biscuter.

– Vinte mil pesetas! O que eu faço com isso?

– Compre comida para duas semanas. Vá que seja preciso.

– Vai se meter em algum rolo? Eu já previa.

– Talvez não aconteça nada, mas olhe as filas que começam a se formar nas mercearias.

Uma pequena fila de mulheres com cestas saía da mercearia da esquina.

– Ponha em prática o mesmo plano de compras de quando Franco morreu. O único prato pronto: *fabada**. É a única coisa que suporta ficar enlatada.

Biscuter passou as mãos pelos cabelinhos loiros que resistiam nos seus parietais, esfregou as mãos, arqueou as pernas, predispôs o corpo ao dinamismo que a situação exigia com o peito franzino afundado para acentuar a resolução de uns ombros de criança com gânglios. Sobre a mesa deixara o café da manhã de

---

* Prato tradicional da região das Astúrias, Espanha, preparado com feijão-branco. (N.T.)

Carvalho e antes de sair pôs a garrafa de *orujo** gelado junto ao garrafão:

– Acho que vai precisar, chefe.

Piscou o olho mediante um temerário esforço muscular, que esteve a ponto de lhe paralisar metade do rosto, e lançou-se na selva urbana com seu paraquedas mental e a ambição de aventura que todo colaborador de um homem como Carvalho devia ter. O detetive tomou seu café da manhã sem pensar no que comia. Tinha escolhido um café da manhã que não precisava de reflexão, nem quase da menor predisposição da consciência. Um café que acompanhava discretamente qualquer meditação transcendente. Nem sequer o presunto teria sido o acompanhante adequado. O presunto exige paladar crítico, veredicto. Em troca, a *catalana* é um embutido cozido que se ajusta à mecânica do paladar e da mastigação sem grandes ambições. O fato de exigi-la trufada era o mínimo rigor indispensável para que o sabor o surpreendesse vez por outra, quando os grãos de trufa aromatizavam bruscamente a cavidade bucal e causavam ardência na ponta do nariz. Comesse o que comesse, sempre era preciso deixar um tempo para a dialética, fosse a partir do sabor ou da textura do que era comido. Com muito menos tempo de reflexão, Brillat-Savarin escreveu *Fisiologia do gosto*. Brillat-Savarin, aquele homem que era ao mesmo tempo célebre e tolo na opinião de Baudelaire, "coisas que ficam muito bem unidas", anotava o franzino e consumidor de drogas Baudelaire, homenzinho que somente bebia vinho ou usava drogas para preocupar a mãe e castigá-la por ter se casado com outro.

"Escreva uma tese de doutorado sobre algo tão arbitrário que impossibilite a tese e a antítese e mude de

---

* Aguardente feita com restos de uva. (N.T.)

profissão", Carvalho disse a si mesmo enquanto segurava na boca um pedacinho de trufa até absorver todo o seu sabor e transformá-lo num simples obstáculo que a língua deixou cair nas profundezas, sem dúvida horríveis, do estômago. Tomou um trago de vinho até sentir bem lubrificada a maquinaria do estômago e encheu um copo de *orujo* que ficou diante dele como um animal com presas, atraente e ameaçador.

– Você vai me estragar, safado.

Mas bebeu num só gole e lhe subiu do estômago até o nariz um fogo fresco, uma contradição em essência, equivalente àquela materializada em qualquer suflê gelado de baunilha.

– SE QUISER, voltamos mais tarde.

Um dos homens apontou com a cabeça para os restos de comida sobre a mesa.

– Eu já tinha terminado.

– É a melhor hora para o café da manhã.

Nunca tinha ouvido ele dizer algo tão banal. Carvalho lembrava-se dele 22 anos atrás, em frente ao Tribunal Militar que o julgava pelo crime de Rebelião Militar por Equiparação. Salvatella declarou que não reconhecia o tribunal que o julgava. Que somente reconhecia tribunais da República. Sem dúvida incomodados com a sua deselegância, os juízes militares aumentaram por sua conta e risco a condenação solicitada pelo promotor. Salvatella saiu da sede do Governo Militar tentando fazer a saudação com os punhos unidos pelas algemas, enquanto Carvalho e outros presentes ao ato eram empurrados por policiais à paisana. Salvatella virou-se para o seu acompanhante e o mostrou a Carvalho:

– José Santos Pacheco, membro do Comitê Executivo do Partido Comunista da Espanha. Eu me chamo Floreal Salvatella, pertenço ao Comitê Executivo do PSUC* e ao Comitê Central do PCE.**

– O meu nome está na placa da porta.

– Não precisava. Marcos Núñez nos enviou um camarada que conhece muito o senhor.

– Nos conhecemos de passagem, tentando solucionar o misterioso assassinato de um empresário.

– Um caso difícil?

– Tão difícil que entre todos o mataram, e só ele morreu.

Santos Pacheco parecia arrancado de alguma fotografia de jornal ou de qualquer fotograma fugaz de televisão. Em segundo plano, atrás de Garrido; agora, em segundo plano, atrás de Salvatella. Alto, talhado pela vida segundo o modelo de velho marinheiro grisalho, bronzeado, com as costas um pouco inclinadas para escutar, escutar sempre o que lhe diziam os espanhóis condenados a um metro e sessenta ou um metro e 75 de estatura média. Salvatella, ao contrário, só lembrava aquele homem quase jovem que Carvalho tinha visto ser julgado e condenado a 112 anos de cadeia. Você engordou, Floreal, e não parece gordo de prisão, mas gordo de tempo e de legalidade. Apenas se sentaram quando Carvalho sugeriu, e mesmo assim o fizeram com a recatada prudência com que todo comunista passa a vida, tentando demonstrar que não tem nada a ver com a imagem de incivilizado selvagem desalmado pré-fabricada pelo capitalismo. Salvatella ficou olhando Santos e dando a ele o papel de solista, e Santos o assumiu com o mesmo tom de voz que poderia iniciar

---

* Partido Socialista Unificado Catalão. (N.T.)

** Partido Comunista da Espanha. (N.T.)

uma reunião do partido. Firme, ao pé do ouvido, como se tentasse que sua voz fosse a de qualquer um dos que estavam ali reunidos:

– Não acho que seja muito difícil adivinhar o motivo da nossa visita. Antes de tudo, pediria que, qualquer que seja o resultado desta conversa, guarde a máxima discrição sobre ela. Se for preciso, recorrerei ao sigilo profissional.

– É um segredo quase forçado. Nunca falo com ninguém.

– É uma medida preventiva?

– Não. Parto da evidência de que, se não me interessa o que os outros vão me dizer, tampouco lhes interessa o que eu possa lhes dizer.

– O senhor iria longe na política. Os mais silenciosos costumam ter as carreiras mais sólidas.

– Na política, na cama, em tudo, não resta nenhuma dúvida.

– Venho com uma missão quase oficial. Queremos que o senhor nos ajude na investigação do assassinato do nosso secretário-geral. O governo designou um investigador oficial pouco satisfatório, apesar das nossas sugestões, e conseguimos autorização para ter o nosso próprio investigador, com toda a liberdade de ação possível garantida tanto por nosso partido como pelo governo. Se não fosse o comissário Fonseca o encarregado do caso, talvez não tivéssemos dado esse passo, mas a simples designação do Fonseca já demonstra que o governo quer usar a investigação para nos atacar. Não sei se o senhor está a par do currículo do Fonseca.

– Estou, e o senhor sabe que estou.

– De fato. Sei que está. No passado, o senhor foi uma das milhares de vítimas do Fonseca.

– Um pormenor. Eu fui apenas um percevejo no zoológico do Fonseca.

– Qualquer esforço para derrubar a ditadura teve mérito. De todo modo, o senhor já sabe quem é Fonseca e sabe que ele iniciou a carreira como infiltrado do franquismo em nosso partido, infiltração que custou uma baixa gravíssima nos anos 40, uma baixa com quatro fuzilamentos. Não vou fazer mais rodeios. Nossa proposta é profissional e aceitaremos o seu preço sem discutir.

Salvatella parecia entregue à digressão mental do que Santos havia dito, e este olhava Carvalho com um sorriso alentador nos lábios, como se já estivesse lhe propiciando a resposta afirmativa.

– O que vocês querem? Que eu descubra o assassino ou os ajude a encobrir o assassinato?

– Talvez estejamos mal informados. Mas nos disseram que o senhor descobre assassinos, não os encobre.

– Este caso supera as minhas forças. Eu apenas posso protagonizar filmes em preto e branco. Os senhores me oferecem uma superprodução em Technirama, com governos e aparatos policiais envolvidos. E além do mais em Madri. Estou cansado de viajar. Conheço cada palmo de Barcelona e apesar disso às vezes a acho insuportável. Imaginem eu andando por Madri, uma cidade cheia de arranha-céus, funcionários do ex-regime, ex-funcionários do regime. Eu sou apolítico, que isso fique claro. Mas não suporto os bigodinhos dos funcionários do ex-regime e dos ex-funcionários do regime.

O olhar de Santos Pacheco consultava o de Salvatella. O sorriso de Salvatella mostrou a Carvalho que Santos não tinha senso de humor e que Salvatella sabia disso. Reconfortado e advertido por seu camarada, Santos devolveu o olhar a Carvalho, disfarçado de sorriso cúmplice.

– Madri não é uma abstração, nem se pode generalizar a respeito dos funcionários. Vejo que o senhor comunga com todos os lugares-comuns.

– Nem comungo nem deixo de comungar, mas Madri não é o que era.

– Em 1936?

– Não. Em 1959, quando morei lá. Os camarões da Casa del Abuelo, por exemplo. Excelentes e a preços risíveis. Tente procurar por eles agora.

– Ah, o negócio é o camarão.

O olhar de Santos divagava à direita e à esquerda, como se tentasse procurar o lugar exato que os desaparecidos camarões da Casa del Abuelo mereciam em uma conversa sobre o assassinato do secretário-geral do Partido Comunista.

– Há excelentes restaurantes de frutos do mar – ocorreu-lhe dizer com certo alívio.

– Mas a que preços?

– Evidentemente os frutos do mar são caros.

– Há de tudo – interveio Salvatella, e acrescentou: – Quando vou às reuniões do Comitê Central, durmo na casa do Togores, você o conhece, o da Perkins. Ele mora perto do Palácio dos Esportes, em Duque de Sesto. Pois por ali tem um restaurante de frutos do mar excelente e que não é muito caro. Sempre está lotado. E se andar um pouco encontra tabernas geniais. Também perto da casa do Togores há uma taberna impressionante, se chama María de Cebreros. O senhor já provou os rins de cordeiro que essa mulher faz? Deliciosos. A coisa mais simples do mundo. Sal, pimenta, feitos na brasa, e um fio de azeite e limão. Claro que os rins devem ser de cordeiro e estar bem frescos.

Ou você faz catequese ou é da minha máfia. Carvalho percebeu uma evidente desorientação lógica em

Santos, que tentava assumir, sorridente, a cumplicidade gastronômica que havia se estabelecido entre Salvatella e Carvalho.

– Não discuto o que diz, porque já faz tempo que não vou a Madri, mas da última vez me meti no bairro dos Áustrias. Onde antes havia uma taberna, agora há uma cafeteria e servem uma dobradinha à madrilena com cubinhos de caldo concentrado e chouriço de burro.

– Isso da dobradinha é um capítulo à parte. Isso sim há de se reconhecer, e não é um tópico periférico...

Santos Pacheco deu de ombros diante da alusão de Salvatella.

– ...perderam muito. Com a dobradinha à madrilena acontece o mesmo que com a feijoada asturiana. São enlatados. Enlatados.

Salvatella oferecia duramente a Santos Pacheco aquela verdade objetiva, como se estivesse lhe mostrando o mesmíssimo ferimento causado pela picareta de alpinismo de Mercader no crânio de Trotski.

– Não gosto de dobradinha – defendeu-se Santos Pacheco.

"Já imaginava", pensou Carvalho.

Santos mexia-se com incômodo, mas não se atrevia a fazer a conversa voltar ao tema original para não desagradar Carvalho. A sua progressiva irritação era dirigida a Salvatella, ao traidor Salvatella, que, mesmo com o cadáver de Garrido ainda quente, lançava-se numa conversa banal sobre camarões, dobradinha e rins de cordeiro na brasa. E foi atrás de Salvatella. Esperou por ele com um olhar frio e de alerta com o qual Salvatella tropeçou quando ia dizendo:

– Não tem dobradinha como as do bairro de... Enfim. Teremos muito tempo para falar de dobradinha e de comê-las se o senhor for a Madri. Não vamos nos desviar do motivo da nossa visita. Além disso, estamos incomodando-o. O senhor também tem trabalho. Vamos nos adequar ao seu preço. Vamos procurar o melhor hotel de Madri para o senhor. O que quiser.

– Por que eu?

– Porque o senhor é um ex-comunista. Porque sabe o que somos, como somos, de onde viemos, aonde vamos.

Santos havia falado com paixão, dir-se-ia inclusive que com um calor úmido nos olhos nos quais repousavam, em primeiro lugar, os restos mortais de seu amigo e camarada Fernando Garrido.

– Todo ex-comunista ou é um apóstata ou é um renegado.

– Já nos basta que seja um apóstata.

"A sua conduta foi considerada improcedente. A direção pediu para formarmos um tribunal de célula e decidir em primeira instância se você deve seguir militando ou não." Carvalho viu a si mesmo detendo o ritmo com que movia o pincel sobre o tecido amarelo. Deixou a palavra "Anistia" escrita pela metade e voltou-se para aquela larva de economista imberbe.

– Os senhores melhoraram muito se estão dispostos a aceitar a ajuda de um apóstata. Mas nem sequer sou isso. Quase tinha esquecido que algum dia fui comunista. Como também tinha esquecido que trabalhei na CIA durante quatro anos. Sabiam desse fato?

– Sabíamos – disseram quase em uníssono.

Carvalho atirou as costas no encosto listrado da cadeira giratória:

– Aviso que não faço descontos por questões nostálgicas.

– Pagaremos o que for preciso.

E Carvalho teve a impressão de que Salvatella reprimia o gesto espontâneo de levar a mão à carteira.

— Ficará muitos dias em Madri, chefe?
— Os indispensáveis.
— O que eu faço com toda esta comida?
Metade do escritório estava ocupado por latas de conserva, embutidos, bacalhau seco.
— Guarde aqui o que couber, e o restante leve para a minha casa em Vallvidrera.
— E se der confusão? Um irmão da minha mãe era viajante. A guerra civil o pegou em Aranjuez e nunca mais se soube dele.
— Eram outros tempos e outras pessoas.
— Quando eu era pequeno, e minha mãe ainda vivia, muitas vezes chorava lembrando o irmão.
— As pessoas naquele tempo choravam muito mais do que agora.
— Isso é a mais pura verdade, chefe.
Somente restava a obrigação de despedir-se de Charo.
— Estou indo.
— Para onde?
— Vou sair de Barcelona. Uns quinze dias, calculo.
— E você me diz isso assim, por telefone?
— Foi tudo muito rápido.
— Pois não perca mais o seu tempo, querido.
E desligou.
— Se começar a guerra civil e eu não voltar, divida essa comida com a Charo.
— Já havia pensado nisso, chefe. E, se precisar de mim, telefone.
— Sentirei falta das suas comidas, Biscuter. Vou para uma cidade que somente contribuiu com um cozido, uma *tortilla* e uma receita de dobradinha para o acervo da cultura gastronômica do país.
— Qual *tortilla*?

— A *tortilla* do Tio Lucas. Se os irmãos Lorenzo telefonarem, os do roubo da patente da porta giratória, diga a eles que voltem a ligar dentro de quinze dias.

As Ramblas preparavam-se para canalizar aqueles que procuravam restaurantes e cafeterias. Desapareciam os transeuntes de passo apressado e as rodinhas de aposentados em frente às bancas de jornais. Em seu lugar formava-se uma massa lenta, falante, mais feliz diante da perspectiva dos mistérios gastronômicos encerrados nos becos sombrios onde brotavam a cada dia novos restaurantes, uma amostra a mais do pluralismo democrático oferecido à liberação do paternalismo gastronômico doméstico. Em plena crise da sociedade patriarcal, os chefes de família procuravam novos restaurantes com a taquicardia da aventura galante, do molho proibido com creme de leite e trufas de Olot, pratos com liga e roupa íntima preta transparente, pratos oral-genitais, para comer de quatro, com a língua predisposta às polissemias das ervas aromáticas e aos refogados enriquecidos com pinoles tostados.

— Surpreenda-me com algo que me ajude a me despedir memoravelmente desta cidade durante certo tempo.

O dono da rotisseria da Rua Fernando apontou para um vinho rosé:

— Acaba de chegar. É de Valladolid e é rosé natural devido ao tipo de uva.

— Vou tomar com um arroz com amêijoas.*

Carvalho tentou jantar no Les Quatre Barres, conhecido pelo "*rape*** ao alho queimado", mas a rua estava cheia de vagabundas em greve, e as quatro mesas do restaurante iriam ser ocupadas pela fila de funcionários

---

* Tipo de molusco. (N.T.)
** Peixe pacamão. (N.T.)

da prefeitura e do governo da província, que iniciavam a reconstrução da Catalunha a partir da reconstrução dos próprios paladares. Inútil também esperar a vez no Agut d'Avignon, onde as mesas eram reservadas com antecedência equivalente à que Jane Fonda precisou para conseguir vaga num voo civil para a lua. Além disso, Carvalho não queria proporcionar ao dono a satisfação de rechaçar a clientela, uma satisfação de iraniano estipulando ou diminuindo ou aumentando o preço do petróleo. Preferiu, portanto, ir caminhando até a Boquería para comprar dois quilos de amêijoas e peixe para fazer caldo. Logo pegou o carro no estacionamento de La Garduña para ir provar um bacalhau *a l'hostal* na cantina Pa i Trago, uma casa perto do mercado de San Antonio onde os seres humanos civilizados podem comer *capipota con sanfaina** no café da manhã, a partir das nove horas.

Entre o belo bacalhau sobrevivente daqueles bacalhaus míticos que chegavam de Terranova para os restaurantes barceloneses anteriores à guerra civil, e um segundo prato de vísceras à catalã com feijões, Carvalho telefonou para a sede do Comitê Central do PSUC procurando por Salvatella.

– Amanhã cedo vou para Madri, mas gostaria de conversar com o senhor, com calma. Venha jantar na minha casa.

O outro estava com a noite muito ocupada. Tinha que explicar os acordos do último Comitê Central em uma associação do subúrbio e depois preparar uma intervenção sobre o projeto de lei eleitoral que iria ser debatido dois dias mais tarde no Parlamento da Catalunha.

---

* Prato típico catalão feito com cabeça de terneiro e molho com legumes. (N.T.)

— Além do mais, imagine a reunião da associação depois do assassinato de Garrido.

— Acho que há uma ordem de prioridades e que falar da minha missão agora é prioritário.

— É verdade.

— Além disso, pensava em cozinhar um arroz com amêijoas muito parecido com o arroz de Arzac.

— Arzac o faz com *cocochas*.*

— E também com amêijoas.

— Parece ser um arroz muito interessante. Irei à reunião da associação e depois aceito o seu convite.

— Estamos condenados a nos entender.

Orientou Salvatella para que localizasse a sua casa em Vallvidrera. Sem ceder o telefone para a mulher que o apressava com seios e olhos endurecidos pelo rímel e um decote mágico, Carvalho telefonou para Enric Fuster, seu contador e vizinho.

— Você se interessa em jantar com um comunista?

— Depende do que tiver para comer. Além disso, você sabe que não voto nos comunistas.

— Arroz com amêijoas.

— E o vinho?

— Vinícola Esmeralda ou Watrau, de acordo com a sua índole adolescente ou madura.

— Adolescente até a morte.

— Então, vinícola Esmeralda.

— O comunista esse é da tendência tediosa ou da nostálgica?

— Da gastronômica.

— Já não sabem o que fazer para ganhar votos. Irei. Smoking?

— Terno escuro.

---

* Do basco *kokotxa*, é um pedaço de carne situada abaixo da cabeça da merluza e do bacalhau. (N.T.)

Contra todas as regras do paladar, Carvalho quis se despedir do bairro tomando uma *horchata** na sorveteria da Rua Parlamento, onde se bebe a melhor *horchata* de Barcelona. Mas estava vazia, secos os tonéis metálicos da *horchata*, desabitada como um mictório público a casa revestida de azulejos iluminados por um neon de tarde escura. Enfiou-se pela Rua da Cera Larga, entre ciganos que haviam transferido seus tamboretes e café com conhaque para os bares da Ronda e da esquina com a Rua Salvadors. Eram os mesmos ou filhos dos mesmos que ele tinha visto dançar e sobreviver nas portas do bar Moderno ou do Alujas, nos anos 40, da sacada de uma casa construída em 1846, dois anos antes da publicação do *Manifesto comunista*, num evidente gesto de otimismo histórico por parte do construtor. A Rua da Cera Larga bifurcava-se na da Botella com a da Cera Estreita, onde o cinema Padró havia deixado de ser cinema de velhos, ciganos e crianças sineiras para se transformar em cinemateca. Quem te viu, quem te vê, bairro do Padró, repovoado de imigração cosmopolita, guineanos, chilenos, uruguaios, rapazes e moças em flor e maconha, ensaiando relações pós-matrimoniais, pré-matrimoniais, antimatrimoniais, livrarias de contracultura onde o nazista do Hermann Hesse coexistia com o manual escrito por qualquer iogue de Freguenal de La Sierra, bairro nu desde que tinham desaparecido as contrabandistas de rua e Pepa la Rifadora, sem outra forma heroica de sobreviver que a fonte de El Padró, a capela românica meio escondida entre um colégio de bairro e uma alfaiataria, com a abside em outra época dividida entre uma tabacaria e um ferreiro e a não menos sobrevivente casa de preservativos La Pajarita, declarável

---

* Bebida refrescante feita com um tubérculo doce chamado *chufa*, água e açúcar. (N.T.)

de interesse nacional ou monumento histórico desde que Jordi Pujol, presidente da Generalitat da Catalunha, atendesse a demanda nesse sentido que Carvalho pensava em lhe enviar um dia desses.

A PROXIMIDADE DO INVERNO era percebida nos rápidos crepúsculos sobre o Vallés, enquanto, do outro lado da casa de Carvalho, Barcelona aceitava a noite sobre o mar, as contaminações e a divisão desigual da incipiente iluminação urbana. As cidades são aceitas porque amparam, assim como as pátrias ou as lembranças. Carvalho pressentia uma viagem fria, uma estadia de estrangeiro em uma cidade na qual nunca fora feliz nem infeliz, que aparecia de repente na paisagem arruinada como um milagre feito de papel machê repetível em Las Vegas ou em Brasília. Enquanto no fogo cozinhavam os peixes para se esvaziarem de aromas e repassá-los ao caldo, Carvalho lavava e relavava as amêijoas, numa luta decidida com a areia escondida em seus sulcos. Mais pareciam frutos da terra que do mar e inclusive logo que se abriram no vapor mostraram a dureza de amêijoas pobres, distantes da finura doentia das amêijoas gostosas, delicadas de cor e saúde. Em troca, a amêijoa exigia dentes, mastigação a sério, para revelar seus profundos sabores escondidos em rígidas texturas. Refogou o arroz na cebola previamente frita na panela. Coou o caldo de peixe e tirou os fervidos. Filtrou o caldo leitoso deixado pelas amêijoas e esperou que as conchas esfriassem para tirar delas o corpo cozido e reduzido à medida humana. Os mariscos são seres inacabados quando estão crus e somente o calor da morte lhes proporciona limites, volumes definitivos. Fez um picadinho generoso de alho e salsinha. Depois de dar uma olhada em tudo arrumado para iniciar o refogado quando chegassem os convidados, foi ao seu quarto para arrancar a mala de seu sono de armário profundo e enchê-la com cinco mudas, a *nécessaire* e um maço de charutos de Palmeros com que o penúltimo cliente havia lhe presenteado. Checou a pistola e testou a mola da navalha automática quatro ou cinco vezes. Em seguida se jogou no sofá, colocou um olho na lareira apagada, o outro na iluminação crescente da cidade. Comprovou seus recursos musculares para ficar em pé com um só impulso. Teve de fazer isso em duas etapas e voltou a se jogar para testar se podia levantar-se de repente. Conseguiu e foi até a biblioteca cheia de rachaduras e rebocos caídos, de livros deformados por estarem mal apoiados ou devido à asfixia excessiva a que os livros maiores os submetiam. Escolheu *A questão da habitação,* de Engels, do qual bastou ler: "Terceira parte: observações complementares sobre Proudhon e o problema da habitação" para decidir que bem merecia o fogo. Rasgou o livro em três pedaços, amassou as páginas para que o ar entrasse e permitisse a combustão e começou a organizar o edifício de gravetos e ramas sobre as ruínas de um dos livros mais insuficientes de Engels. O fogo subiu com uma língua persuasiva, e Carvalho foi assaltado pela evidência de que tardaria dias demais para recuperar aquela cerimônia, dias que trabalhariam a favor da passiva resistência da sua biblioteca em ser incendiada com a velocidade requerida, como um justo castigo pela quantidade de verdades inúteis e insuficientes que reunia. Decidiu, então, permitir-se um ato gratuito e queimar um livro na fogueira inapelável. Não escolheu a esmo, mas procurou nas estantes de Teoria e Crítica Literária para surpreender uma antologia de suposta poesia erótica castelhana dos convictos e confessos cidadãos Bernatán e García, culpados de terem selecionado versos de mortificação, castradores de qualquer recanto da pele predisposto ainda que fosse ao mais imaginário dos erotismos. O fogo tragou o livro lambendo-se, e Carvalho voltou a relaxar, satisfeito com a oportunidade que acabava de conceder aos homens futuros para que não recebessem informação desorientadora sobre os usos e abusos eróticos da Espanha do século XX. Tocou o telefone:

– José Carvalho?

– Sim.

– Aconselhamos, para o seu bem, que não faça bobagens.

– Está falando por causa do livro que queimei? Quem é o senhor, Bernatán ou García? Por acaso é Engels?

– Não se faça de engraçadinho. Deixe os mortos em paz e, sobretudo, esse morto que o senhor sabe. Ele merecia. Não receberá mais advertências.

Era uma voz de policial de um filme de Bardem, no suposto caso de que tivessem deixado Bardem fazer filmes com policiais de verdade. Carvalho encheu um copo com *orujo* gelado e com ele na mão recebeu Enric Fuster.

– Trouxe trufas de Villores conservadas no conhaque.

– O que as trufas do seu povoado têm que não têm as de qualquer outro lugar?

– O aroma.

Fuster esfregou as mãos ao ver o fogo aceso e em seguida levou um dedo à têmpora quando viu a alma carbonizada do livro jogado às chamas.

– Já consultou um psiquiatra?

O contador lhe estendeu uma cobrança pelos trâmites e pagamentos da declaração de renda.

– Não se enganou de cliente? Esta não é a nota de Pujol?

– *Vertumnis, quotquot sunt natus iniquis*, dizia o grande Horácio.

– Um aviso. Se você quer que eu lhe pague, precisa assistir como minha testemunha ao encontro com um peixe grande dos comunistas. Queira ou não, você terá de ser testemunha e depois levar para o túmulo tudo o que escutar. Isso de levar para o túmulo não é uma frase feita. Acabam de me ameaçar por telefone.

– Em que rolo você se meteu?

– O assassinato de Garrido. Estou investigando a pedido do partido.

– Você está prosperando, Pepe. Vai acabar atuando como figurante num romance de Le Carré.

– O que você acha desse assunto?

– Pode haver quinhentos ou seiscentos motivos e uns dois milhões de candidatos a assassino.

– Uma peça fechada com os acessos vigiados pelo serviço de segurança. Dentro do recinto, 140 membros do Comitê Central, dos quais 139 podem ser o assassino. Essa é toda a explicação do problema. A não ser que alguém conseguisse burlar a vigilância, entrar, matá-lo e voltar a sair. O mais realista é que o assassino estivesse dentro e tivesse cúmplices para apagar a luz.

– O que o partido diz?

– Nega-se a admitir que o assassino estivesse dentro.

– Parece um caso de romance inglês.

– O caso típico do assassinato em um recinto fechado por dentro e sem saída. Mas nos romances ingleses o assassinado é o único que aparece na sala. Neste caso, aparece com 139 acompanhantes. Mais parece uma piada de chineses ou galegos do que um romance policial inglês.

Salvatella apertou a campainha com a mesma educação com que ofereceu a Carvalho um presente, nas suas palavras, modesto mas interessante: a reprodução fac-símile dos primeiros números de *Horitzons*, uma revista cultural de circulação clandestina do tempo do franquismo. Carvalho prometeu a si mesmo queimá-la até 1984 em companhia do livro de Orwell. Enquanto se dirigiam até a porta através do jardim forrado de cascalho, advertiu-o da presença de Fuster.

– Não se preocupe. É meu sócio. Não tenho segredos com ele. Segredos profissionais, se é que me entende.

Sublinhou a palavra sócio quando fez as apresentações, e as sobrancelhas loiras de Fuster se ergueram mefistofelicamente atrás dos óculos meio caídos que lhe permitiam conservar o ar de estudante da Sorbonne maltratado por uma calvície de frei. Ignorou o que Fuster e Salvatella conversaram enquanto requentava o arroz refogado na cebola, acrescentava o caldo deixado pelas amêijoas e o que fosse suficiente do caldo de peixe para que o arroz ficasse coberto por um dedo de líquido. Esperou que subisse a fervura, manteve a intensidade do fogo por dez minutos, em seguida o baixou e depois dividiu as amêijoas sobre a superfície do arroz para oferecer finalmente a oferenda floral da salsa e do alho picados. Enquanto isso, Fuster fazia as honras a Salvatella à base de *xerez* gelado e azeitonas recheadas com amêndoas. A conversa entrava pelas profundidades dos limites entre Castellón e Aragón, recanto privilegiado do mundo onde Fuster havia nascido e de onde saíra para estudar em Barcelona, Paris e Londres numa viagem que desejava que fosse de ida e volta. Salvatella fazia perguntas muito interessadas sobre o valencialismo anticatalão. Poderia-se dizer que fazia anotações se não tivesse as mãos ocupadas entre segurar o copo que Fuster alimentava com o zelo de um garçom de prestígio e caçar as escorregadias azeitonas com dente de amêndoa. Logo elogiou a escolha da Vinícola Esmeralda, demonstrando erudição sobre o tema ao mencionar o livro sobre vinhos escrito pelo fabricante, e ficou extasiado depois de levar à boca a terceira garfada carregada com o arroz aromatizado pelas amêijoas e o picadinho de alho e salsa.

– É a antítese do arroz à valenciana. Simplicidade frente ao barroco – concluiu Salvatella, e os movimentos de cabeça de Fuster significaram que elevava as conclusões a definitivas.

– Os senhores, comunistas, são sempre comunistas? Agora, por exemplo, em plena digestão de um jantar suponho que agradável, o senhor é comunista?

– Provavelmente sim, mas não como imagina. Estou aqui porque sou comunista. A circunstância de sê-lo me trouxe aqui. Estou à vontade com os senhores. Uma agradável experiência compartilhada nos une. A possibilidade de conversar. Mas, quando começar a me fazer perguntas sobre o partido, reagirei como o que sou, um homem de partido.

– E o senhor me responderá o que considera que interessa ao partido.

– Ao partido interessa descobrir o assassino de Garrido. Foi um assassinato contra o partido, contra a classe operária, contra a democracia. Portanto, não há antagonismo entre o que o senhor quer saber e o que eu devo lhe dizer, ainda que advirta que não poderei ser tão útil como os meus camaradas do PCE. É um partido irmão do nosso, mas outro partido. Corresponde a outras realidades.

— Suponhamos que não tenha sido um crime emocional. Uma vingança pessoal, por exemplo. Suponhamos que tenha sido um crime político. Por quê? Para quê?

— Para desacreditar o partido. Deixá-lo sem um dirigente histórico que o liderou durante quase trinta anos. Parece pouco?

— A mim parece insuficiente, a não ser que seja o primeiro passo para um processo de desestabilização, como os senhores dizem, para mudar o sistema político. Isso se o assassinato vem da direita. Se não há essa finalidade, parece-me um ato desproporcional. Sem sentido. Neste momento, os senhores não são uma ameaça para a direita, são uma ameaça potencial, latente, mas eles não precisam exterminá-los. Nem sequer são uma alternativa de poder.

— Você nos subestima. Talvez não tenhamos uma presença relevante quantitativamente falando. Mas, sim, temos uma importante presença qualitativa. Quando se sai de uma ditadura, em geral, só estão realmente organizados os que combateram sistematicamente contra essa ditadura. No caso da Espanha, éramos nós, os comunistas. Isso nos faz imprescindíveis em qualquer estratégia das esquerdas e para qualquer processo de consolidação democrática. Logicamente, os socialistas se enchem de votos que correspondem a tendências sociais invertebradas. Nossos votos correspondem a tendências sociais vertebradas. É um voto difícil, pouco rentável em curto prazo, implica um alto nível de consciência política e, portanto, uma capacidade de ação política superior à do voto socialista, ainda que seja quantitativamente maior. Isso por um lado. Por outro, não esqueça que respaldamos a primeira força sindical do país, sobre a qual temos influência.

— Por enquanto.

Salvatella aceitou amavelmente a observação de Fuster.

— De fato, por enquanto. Foram convocadas as eleições sindicais, e a batalha entre Comandos Operários e UGT vai ser inflamada.

— Poderiam ter atentado contra Garrido na rua ou poderiam ter tentado desacreditá-lo orquestrando uma campanha ou criando problemas internos. Não seria o primeiro caso. Por que o assassinato, que coloca o país inteiro à beira do abismo? Por que num cenário que culpa o partido como coletivo?

— Leu os jornais de hoje?

— Por alto.

— Leia a imprensa de Madri. É uma imprensa diretamente conectada com grupos de pressão políticos e econômicos. E dão por certa a culpa dos comunistas neste parricídio; precisamente "Parricídio comunista" é o título do *Ya*, jornal da direita democrata-cristã e da Igreja. *ABC*, jornal conectado com o capital bancário e com a própria Casa Real: "Ajuste de contas no Comitê Central". *Cambio 16*, uma revista muito influente e conectada com setores determinantes dos modismos políticos do palácio real: "A luta pelo poder". *El País* tenta racionalizar os fatos, não em vão um dos seus editorialistas é um conhecidíssimo ex-comunista, mas também não prescinde de certa morbidez nas entrelinhas: "A oposição a Garrido crescia no interior do partido", dizem.

— E crescia essa oposição?

— O Garrido era tão discutido como indiscutível.

— Como um Papa de Roma.

— Ou como um secretário-geral do PSOE, ou como um presidente da UCD ou da SPD ou do Partido Conservador britânico. Os líderes não são caprichos arbitrários impostos pela moda ou por sorteio. São o resultado de uma seleção natural em consonância com as necessidades de cada partido.

— O senhor compareceu à reunião do Comitê Central?

— Sim.

— Foi tudo normal até o momento do assassinato.

— Normal.

— E depois? O que o senhor pensou quando viu o cadáver do Garrido sobre a mesa?

— Tudo, menos que tinha sido assassinado. Em seguida fiz parte de um piquete para que ninguém saísse nem entrasse na sala. Comprovamos que todos os que estavam ali naquele momento eram membros do Comitê Central.

— Então?

— Aí já começa a ser problema seu.

— O senhor foi julgado em Barcelona no final dos anos 50. Condenado a mais de um século de prisão. Saiu no final dos anos 60. E depois?

— Entrei na clandestinidade e permaneci até a legalização, em 1977. É uma história quase vulgar no nosso partido. Quando um Comitê Central se reúne, se reúnem mais de cinco séculos de condenações.

— O senhor sempre foi um profissional.

— Sempre, não. Desde 1941, quando organizei a resistência no Rosellón. Sou um profissional no sentido leninista da palavra. Meu trabalho é fazer a revolução. Primeiro nas montanhas, em seguida na prisão, depois nas esquinas da cidade, com a gola da gabardine levantada. Agora sentado atrás de uma mesa, preparando uma emenda para todo um projeto de lei eleitoral.

— O senhor acumula queixas contra o partido?

— Contra mim mesmo?

— Há quem mande mais do que o senhor.

— Mais do que eu, manda o Comitê Central, que decide como um coletivo. Tanto o executivo como o secretário-geral não fazem mais que interpretar as decisões do Comitê Central.

— Soa como um conto de fadas.

— O senhor sabe que os contos de fadas às vezes são contos de bruxas.

Salvatella ria da piada, incontido, como se estivesse liberando-se de uma linguagem coletiva e recuperasse a sua própria capacidade de falar.

— A comunhão dos santos, o perdão dos pecados, a redenção da carne, a vida eterna... — rezou Fuster.

— Amém — completou Salvatella, e era evidente que dava por concluída a reunião porque estendia a mão, agradecia o jantar, advertia que "dois camaradas" iriam esperar por Carvalho no aeroporto, chegasse a hora que fosse.

— Como vou reconhecê-los? O Santos vai estar lá?

— Quanto menos você for visto com o Santos, melhor. Montarão guarda na ponte aérea.

Carvalho deixou para o final o golpe de efeito:

— Fui ameaçado por telefone. Disseram que ou deixo o caso ou vão me matar. Que eu saiba, somente o Santos Pacheco, o senhor e eu sabíamos deste acerto.

Salvatella demorou para responder:

— Podem ter nos seguido.

— Eram mais eficazes na clandestinidade.

— Às vezes. Nem sempre.

HAVIA LIDO SOBRE o assunto, como o doente que devora livros de medicina sobre o seu mal e o condenado à morte que acaba sabendo o Código Penal melhor do que seu advogado. Nada tão parecido com um ex-comunista como um ex-padre. Pecar contra a História ou pecar contra Deus. Que diferença havia? A literatura havia se dedicado a fazer uma tipificação de casos possíveis. Koestler ou o renegado. Orwell ou o apóstata. Bujarin ou o autoimolado. O caso de Carvalho nunca seria motivo de estudo, talvez porque supunha que era o caso mais normal em períodos em que a História é vivida sem dramas excessivos e, além disso, rompemos com nosso mundo e orientamos a vida em função de pontos cardeais diferentes. Deixar o partido para ser professor-leitor de espanhol numa universidade medíocre do Middle West, ingressar como tradutor num escritório de informação do Departamento de Estado, receber um dia a oferta de trabalhar em missões especiais de informação e se olhar de repente no espelho para descobrir ali um agente da CIA que vai viajar por meio mundo, somar quinquênios e voltar, talvez, algum dia para casa para viver como um aposentado. Durante os interrogatórios na Brigada Social, jamais lhe pareceu ser o herói da sua própria história, mas uma peça de engrenagem que deveria resistir e cumprir a missão de não deixar a engrenagem se quebrar. Quando recebia socos e lhe dependuravam na janela ameaçando-o contra o vazio enquanto Fonseca sussurrava no fundo da peça: "Merecia que lhe jogassem", agia com a segurança que lhe dava a sua própria pouca importância. Os gritos que penetravam vindos de outras salas quando abriam a porta o submergiam na fatalidade de uma situação que escapava à sua possibilidade de escolher. Logo, enquanto o levavam para a prisão no carro da célula, aceitou o cigarro oferecido por Cerdán e, ao ver as suas mãos algemadas, foi quando se deu conta de que ele também as tinha algemadas, e uma angústia de guilhotina lhe cortou os pulsos. Cerdán era um líder.

Um líder promissor que havia assimilado a linguagem do partido e permitia que o partido se reconhecesse nele.

— Ao menos me livrei de ser julgado por indisciplina — disse Carvalho quando pôde se jogar no enxergão da cela que dividia com Cerdán e um operário das lojas La Maquinista de quem tinham quebrado a clavícula durante os interrogatórios.

— Esqueça isso. Foi um mal-entendido.

— Que condenação teria me dado?

— São tempos duros, Pepe. Se você julga com dureza a incompreensão dos demais, julga também duramente a sua própria incompreensão.

Puta que pariu. Sempre tinha resposta para tudo. Seis semanas antes da condenação de Stalin no 20º Congresso, ele havia rebatido ponto por ponto todas as críticas que Carvalho fazia ao stalinismo. Logo esqueceu seu recente passado stalinista com a velocidade com que as crianças esquecem seus pequenos pecados. Que floresçam as mil flores e por um realismo sem fronteiras. Enquanto Carvalho via no teto da cela a prolongação do céu enquadrado pelos muros, e no céu enquadrado pelos muros a prolongação do teto da cela, Cerdán organizava um cursinho sobre a influência de Ricardo em Marx e explicava aos operários o papel desempenhado pela "greve nacional pacífica de 24 horas" na queda do fascismo, no "assalto à contradição de primeiro plano", como estava na moda se dizer então. Cerdán falava fanhoso quando se dirigia a outros sacerdotes do espírito e, quando o fazia à classe operária, parecia uma professora primária explicando que as mesas têm quatro pernas e que as bolas são redondas.

— Quando sair da prisão, vou pedir para ser "liberado" e talvez vá trabalhar numa fábrica. Marx diz que você não pode entender os problemas do povo se não come do seu pão e bebe do seu vinho. E você, vai fazer o quê? Fazer carreira universitária me parece uma demonstração de egoísmo individualista, uma manifestação de personalismo evasivo. E você, vai fazer o quê?

Carvalho baixava os olhos do teto ou do céu para contemplar Cerdán fazendo ginástica uma manhã após outra no pequeno espaço deixado pelos beliches e pelo catre onde dormia o operário da La Maquinista. Fazia ginástica, pedia livros de álgebra moderna e lógica matemática, estudava alemão, não comia nada que não lhe trouxesse vitaminas e proteínas suficientes para sair dali e não perder "a greve nacional pacífica de 24 horas".

– Imagine que é de doze horas. Ou de 36.

O operário da La Maquinista ria segurando o estômago com uma mão e a clavícula com a outra, mas Cerdán limitava-se a apertar os dentes amavelmente, gesto digno de agradecer e muito mais agradável do que quando apertava os dentes sem amabilidade ou para adquirir a suficiente consciência de si mesmo como para se lançar num longo discurso sobre a identidade entre moral individual, moral de classe e moral histórica.

– Não está certo introduzir o derrotismo entre os trabalhadores. E muito menos aqui – Cerdán disse a ele em particular ou talvez no banho, onde o líder se expunha ao jato gelado com a parcimônia de um relojoeiro.

Logo secava o corpo pequeno, branco, musculoso, arrematado por uma cabeça de pássaro triste, com o cabelo cortado à moda alemã, e o secava perseguindo umidades, desajustes no termostato interior que pudessem avariar sua maquinaria de pensar e fazer a revolução. Algum misterioso influxo ele devia ter sobre o próprio corpo porque, quando cagava no vaso que os três habitantes da cela compartilhavam, a sua merda era a menos cheirosa e só incomodava um buquê final de alcaçuz que

Carvalho atribuía ao óleo de fígado de bacalhau que a família lhe mandava para que Cerdán conservasse a sua condição de animal jovem, doente de plenitude mental.

– A prisão não é desejável. Não dá um certificado de qualidade combatente. Mas é uma experiência necessária na vida de um revolucionário. Para você, fez um favor enorme.

– Por quê?

– A sua conduta fora havia levantado suspeitas. Inclusive, um dia você foi visto saindo da Via Laietana, e os de cima me disseram para vigiarmos você, que podia ser um informante.

Soavam ao longe os inapeláveis ferrolhos depois da recontagem. Feriam qualquer pele do espírito como machados destroçando pássaros diminutos. Na posição de firmes à espera que o funcionário os examinasse e trancasse a porta, Carvalho sussurrou:

– Continue.

– Coloquei você em quarentena. Falei com vários camaradas para que ficassem atentos, embora os tenha advertido de que poderia se tratar de um erro. Agora não há dúvidas.

Havia cinco anos que se conheciam. Cinco anos que compartilhavam as aflições da clandestinidade. A frustrante sensação de sair de casa com um bolo de panfletos com a possibilidade de não voltar até cinco ou seis anos depois. Cinco anos trocando maletas com fundo falso, recebendo contatos com o exterior que entravam na Espanha para voltar a sair pelo mesmo túnel da entrada, desconfiados do que não puderam saber através do *Mundo Obrero* ou da Rádio Espanha Independente. Cinco anos descobrindo juntos Sartre, Marx, Brassens, Shostakóvich, Maiakóvski, Lefèbvre, Pratolini, Ostrovski, Sholojov... Quando terminou a recontagem e trancaram a cela, Carvalho esperou que Cerdán se virasse para lhe dizer:

– Você é um grande filho da puta.

Cerdán respondeu com um sorriso condescendente. O sorriso que se dirige aos que nunca estarão à nossa altura, apesar de tudo o que fazemos por eles. Um mês depois transferiram Cerdán para Burgos, e Carvalho não evitou um abraço de final de filme soviético. Cerdán avançou pela galeria conseguindo uma meritória marcialidade, apesar de que o tinham obrigado a usar um enorme uniforme cinza de presidiário costurado com grampeador.

No jornal que lhe dera a aeromoça do avião que o levava a Madri diziam que Justo Cerdán havia sido interrogado sobre o assassinato de Fernando Garrido. O jornal resumia a biografia do dissidente do PCE, agora dirigente dos movimentos radicais extraparlamentares e feroz crítico do reformismo de Garrido. Ainda que não fosse considerado diretamente implicado no assassinato, suspeitava-se de que a influência dele em outra época, apontado como sucessor de Garrido, seguia vigente em amplos setores do partido.

O assassinato, em suma, poderia ser fruto de uma conspiração interna para terminar com o longo mandato de um dirigente considerado funesto pelos setores mais esquerdistas da organização.

Ele esperava um comitê de recepção encabeçado por algum antigo operário transformado em funcionário do partido e, em troca, foi recebido por dois rapazes recém-saídos de uma comédia de costumes de alienados. Mesmo que não tenham chamado Carvalho de "cara" ou de "meu faixa", não foi por falta de vontade, prudentemente reprimida pelas recomendações feitas pela direção. Devem usá-los para despistar e fazer recair sobre o recém-chegado as suspeitas da Brigada Antinarcóticos, não da Brigada Antiterrorista. Os garotos procuravam comportar-se bem com ele e até lhe ofereceram um sanduíche no bar do aeroporto, caso não tivesse tomado café da manhã.

– Prefiro venenos mais contundentes. Mais rápidos.

Eles tinham sensos de humor muito diferentes, separados por vinte anos de degeneração da linguagem. Carvalho absteve-se, pois, de recorrer à escola de diálogo dos roteiristas norte-americanos da mítica Hollywood dos anos 30 e 40 e recorreu à linguagem de executivo japonês:

– Isso quem sabe é o Fermín.

– Tem que perguntar para o primo do Fede.

– Que nada, o primo do Fede não está mais em Castelló.

– Pergunte logo, quando a gente mudar de carro.

Ao encontro do viajante saía a vitrine arquitetônica da autoestrada de Barajas, onde estavam resumidos dez anos de absoluta confiança do país em seus arquitetos, prova de confiança que o país jamais havia concedido a nenhum grupo sacerdotal equivalente. Ao chegar à altura de Torres Blancas, o carro dobrou bruscamente à direita e ziguezagueou entre carrinhos cheios de mães tingidas de loiro para justificar o quão loiros eram os seus filhos.

– Todas as crianças de Madri são loiras?

– Não sei o que acontece, mas agora todas saem iguais.

– A poluição.

– Pode ser a poluição.

O carro parou.

– Entre naquele café e vai ver uma garota sentada lendo *Diario 16*. Apresente-se e ela vai acompanhá-lo.

A garota petiscava *porras** entre goles de café cortado, sem se alterar diante das toneladas de pessoas que a cercavam em sua raridade de único ser humano sentado em toda a cafeteria.

– Fez boa viagem?

Em seguida, o trajeto no 850 propiciou uma conversa amena sobre como chovia pouco ultimamente em Madri e o muito que chovia tempos atrás, por exemplo, quando ela era pequena. Tinha pernas bonitas, ainda que um pouco finas, e a franja permitia começar o rosto com dois olhos esplêndidos com olheiras, patéticos como sua magreza ao estilo Audrey Hepburn, ressaltada pela vestimenta preta e lilás.

– Qual hotel reservaram para mim?

– Um que fica na Ópera, mas não vou levá-lo lá. Santos o espera numa residência privada.

Predominava nas fachadas a pichação: COMUNISTAS, ASSASSINOS.

– O pessoal da Força Nova passou toda a noite pintando – informou Carmela. – Sim, me chame de Carmela. Barcelona está com tanto trânsito como aqui? Vocês, catalães, têm fama de dirigir melhor. – Fazia muito tempo que ninguém o chamava de catalão. – Barcelona é outra coisa. É Europa. Assim dizem, não é?

– Achei que não se dizia mais.

– Pois se diz. Sobretudo se você fala com um catalão. Não sei por que, mas se diz.

Carmela parou o carro em frente a um chalezinho da Rua Jarama. Desceu do carro, olhou à direita e à esquerda, convidou-o a segui-la para além do portão de um jardim totalmente ocupado pelo tronco e pela estrutura

---

* Porção de massa frita semelhante aos churros, mas mais grossa. (N.T.)

dos ramos nus de um salgueiro. Cumprimentou com fragmentos de palavras um homem corpulento que passeava para cima e para baixo do saguão de entrada, com as mãos para trás, e subiu uma escada de granito com uma rapidez que obrigou Carvalho a escalar os degraus de dois em dois. Atrás da porta forrada de tecido com tachinhas douradas estavam à sua espera Santos e um velho forte que examinou Carvalho com a sabedoria desconfiada de um sargento.

– O senhor Carvalho, Julián Mir. É o responsável pela segurança. Teremos um breve encontro para fixar o plano mais imediato. Carmela o acompanhará depois ao hotel, e a partir do momento que o senhor quiser começaremos a nos movimentar conforme nos orientar.

Carvalho queria ver o local do assassinato, um mapa da distribuição do lugar, a localização pessoal dos membros do Comitê Central nas mesas, todos os dados que pudessem lhe dar sobre os que estavam reunidos naquele dia.

– Isso é tudo?
– Por enquanto, isso é tudo.
– Antes que a manhã termine vou apresentá-lo ao delegado que o governo nomeou para se relacionar com o senhor e com Fonseca. Também será inevitável um encontro com Fonseca. O senhor vai se deslocar por Madri no carro de Carmela, e a terá como único acompanhante aparente. Digo aparente porque sempre outro carro com dois camaradas irá segui-los. São os dois que foram buscá-lo no aeroporto. Da janela não dá para ver, mas estão estacionados na esquina de cima. O senhor poderá entrar em contato comigo ou com Julián através de Carmela sempre que quiser, a qualquer hora. Tome, para os primeiros gastos.

Santos lhe estendeu um envelope, e Julián Mir, um recibo de cinquenta mil pesetas.

— Manteremos o senhor longe dos locais centrais do partido. Há pelo menos dois ou três serviços paralelos bisbilhotando, fora os garotos do Fonseca. Sabemos disso porque o próprio delegado do governo nos disse. Não podem fazer nada para impedir.

— Esses só impedem piquetes de trabalhadores! Para isso servem.

Carvalho perguntou a si mesmo se o mau humor de Mir era conjuntural ou pertencia à sua habitual maneira de ver a realidade incontrolável.

— Fui ameaçado por telefone. Não disseram por que, mas o motivo é óbvio.

Mir fez um movimento de cabeça como se as palavras de Carvalho confirmassem velhas suspeitas suas. Santos fechou os olhos concordando, e foi então que Carvalho percebeu que seus cílios eram brancos como os seus cabelos.

— O Salvatella me disse alguma coisa por telefone.

— Alguma coisa, não. Deve ter dito tudo. Quem está sabendo do trabalho que vou fazer?

— O secretariado do Comitê Executivo. Ou seja, seis pessoas em Madri e o Salvatella em Barcelona. Nem sequer os nossos camaradas da direção da Catalunha estão sabendo, menos o Salvatella, que serviu de conexão.

— Então?

— Todos os nossos telefones estão habitualmente grampeados. Com mais razão agora – queixou-se Mir.

— O governo?

— Quem sabe. O governo está mais nervoso do que nós. Ou ao menos aparenta isso. Consta que reforçaram as medidas de segurança e puseram em andamento um plano preventivo de golpes de Estado. O assassinato do Fernando pode ser um sinal. De qualquer forma, não falamos do seu assunto por telefone. Fomos seguidos, não há outra explicação, e, ao verem que entramos em contato com o senhor, perceberam nosso propósito.

– Quem?

– Se eu tivesse a resposta, talvez soubesse a resposta para o assassinato do Fernando.

– Eu avisei – Mir acusou-o com o dedo em riste.

– Tomamos todas as precauções. As mesmas dos tempos da clandestinidade. Não porque acreditássemos que nosso acordo fosse permanecer por muito tempo em segredo, mas para ganhar ao menos tempo suficiente para que o senhor pudesse se mover com liberdade por Madri. Preocupe-se o menos possível. A sua escolta está armada. Recebemos inclusive autorização governamental.

– Isso vai complicar a questão econômica.

Mir o olhou como se tivesse diante de si um explorador da classe trabalhadora. Santos, ao contrário, o olhava com um dos olhos entreabertos, tentando calcular quanto valia a vida de Carvalho.

– O desconto nós vamos pedir quando o senhor nos passar a conta. É uma prova de confiança de que poderemos pagar e de que o senhor viverá para cobrar.

– Faz anos, e não sei onde, li que os senhores eram uns otimistas.

Santos não o deixou sair de cena de forma discreta e disse pelas costas de Carvalho, a ponto de deixar a sala:

– De toda forma, tenha em mente que ninguém melhor do que a gente mesmo para se cuidar.

– E VOCÊ, quem acha que matou o velho?

Carmela aceitou o tratamento informal do seu passageiro com um sorriso de alívio.

– Pois não sei, porque ultimamente vínhamos matando pouco. A coisa estava assim, um pouco insossa. Muito confronto, ou seja, de parlamentar para cima, entende?

O carro avançava pela Rua Serrano, entre taxistas que batiam papo com os passageiros e ajudavam os veículos a avançar mediante tapas no volante com uma e outra mão, aquela que não estivesse sendo usada para acompanhar a conversa. A garota dirigia esgotada pelo excesso de missões: demonstrar que as mulheres dirigem bem, levar Carvalho o quanto antes ao hotel e comprovar que o carro da escolta não ficaria para trás em algum semáforo.

– Olhe, esta cidade é uma confusão para que sigam você. Queria ver um filme americano de gângsteres filmado em Madri.

– Você é profissional?

– Do táxi? Tenho cara de taxista?

– Não. Do partido.

– Se ganhar 36 mil pesetas por todo o dia e algumas noites, sem férias tranquilas nem remuneradas, e até agora sem seguro médico, significa ser profissional, pois então, sim, sou uma profissional. E, além disso, prego cartazes de graça no meu bairro e também coloco o garoto grátis.

– Qual garoto?

– Meu filho. É portátil e eu o levo a todas as manifestações a favor do divórcio e do aborto. Para os da televisão verem que quando temos que parir também parimos.

– O garoto concorda?

– O garoto não está nem aí. É como se eu o levasse a uma manifestação contra os sanduíches de lula. Como do que ele gosta é cachorro-quente. Falando sério...

Retornou ao território da sua responsabilidade histórica, com os olhos graves voltados para Carvalho e um tom de voz de Miguel Strogoff, o mensageiro.

– Trabalho no Comitê Central e me deram esta função porque acham que assim tudo parece mais normal.

Usava umas meias esbranquiçadas, talvez para dar maior substância a pernas no justo limite da magreza ou para esconder as ramificações de veias azuis que deviam se entrever naquela pele transparente que se grudava às maçãs do rosto, como forçando as coisas para deixar espaço para uns olhos negros bem pintados, excessivos, comendo o lugar de um nariz forçosamente pequeno e de umas bochechas que ao sorrir tinham que pedir licença à boca para deixar ali uma suave ruga tensa como um arco, junto às esquinas de lábios constantemente umedecidos por uma língua pequena. Uma vitrine cheia de queijos substituiu o rosto de Carmela. Ao fundo da rua, apareceu à direita uma praça onde predominava o prédio da Ópera, um prédio curto de corpo, alto de pernas, com um ombro mais alto do que o outro e, sem dúvida, estreito de cintura.

– Escalinata – sussurrou Carvalho quando o carro ficou na altura das escadarias que levavam à Rua Escalinata.

– Conhece?

– Faz muitos anos, tinha amigos por aqui. Um pintor, a dona da pensão e a filha dela, recém-chegada do Egito.

– Isso está ficando interessante. A garota era uma múmia?

– Não. Era bailarina de flamenco. Especialista em sevilhanas, e no Egito gostavam muito das sevilhanas.

Beethoven, silencioso, nem mostrou intenção de cumprimentá-los do alto da sua condição de adorno de gesso e de animal de vitrine de loja de objetos musicais.

A rua abriu-se à perspectiva da Plaza de Oriente, dos seus céus coadjuvantes de Goya, mas foi um instante, porque Carmela contornou os fundos da Ópera e enfiou-se na praça apontando com o bico do seu carro o cartaz do cinema: *Kramer versus Kramer*.

– Este é o seu hotel. Reservamos um quarto para uma semana, por enquanto. Solicitamos como Seleções Progresso S.A., não como partido. Olhe, estou muito mal estacionada para esperar no carro.

– Não espere por mim.

– Não, isso não. Você está sob minha responsabilidade e, além disso, estão nos seguindo.

– Queria passar pelos ritos religiosos.

– De rito religioso não tem nada, rapaz. No partido tem padres e dizem que até bispos, mas ainda não fazemos ritos religiosos para os secretários-gerais.

– Vou deixar a mala e volto. Dê uma volta na quadra.

O hotel Ópera tinha a asseada dignidade de tijolos à vista de um hotel inglês ou holandês, contíguo à colagem historificadora da praça. O tijolo de sua fachada não era de um aragonesismo ocre e um pouco empoeirado, mas sim o tijolo com o qual as novas casas de Amsterdã, Roterdã ou Chelsea tentam simplificar o volume sem perder os ritmos visuais da arquitetura tradicional, nem cair na agressiva intolerância visual do concreto. O hotel era uma esquina que pedia perdão ao neoclássico degradado e especialmente ao corcunda edifício do palácio da Ópera, que mais parecia um armazém para cassetetes elétricos dos *vopos** da Unter der Linden. Deixou a mala nas mãos de um mensageiro, não muito convencido do dia que o esperava, e recuperou o calor do carro e de Carmela.

– Se você não desce, a confusão está armada. Esses dois me viram sair para dar a volta e me fizeram sinal de

---

* Policial da extinta Alemanha Oriental. (N.T.)

luz. Mandei eles para aquele lugar. Poderiam ter mais intuição, eu acho, ou respeito pela iniciativa dos outros. Para os ritos religiosos, como você diz?

– Onde é?

– Não dispúnhamos de nenhum lugar próprio que se prestasse. Quase todos ficam em edifícios, então imagine a bagunça. Nos emprestaram o saguão do Palácio das Cortes. Eu o deixo na Plaza de Cánovas, esquina com Carrera de San Jerónimo, e o espero no mesmo lugar. Mas não entre na fila, porque você não termina a tempo, e temos dois compromissos esta manhã.

Voltou a contornar o prédio da Ópera e saiu pela Plaza de Oriente, afrancesada e lenta. Para neutralizar esse afrancesamento, a rua que separava os limites do palácio e da praça chamava-se Bailén, nascida para contemplar o palácio, questioná-lo, destruí-lo. O passeio pela Gran Vía, Alcalá e Paseo del Prado mostrou-lhe a normalidade da vida na cidade, apenas alterada pela presença de jipes e ônibus blindados da polícia estacionados na Plaza de España, na Callao, na Red de San Luis, em todos os cruzamentos ou confluências de ruas importantes.

– Muitos meganhas.

– Cercaram a área das Cortes, no caso de os radicais decidirem armar alguma.

Carvalho saiu do carro, subiu a encosta em direção aos escuros leões que demarcavam a entrada do Palácio das Cortes; subia paralelamente à fila de pesarosos amparada nas fachadas por constantes e urgentes recomendações da polícia. Um sargento o tomou por um braço e o afastou enquanto lhe dizia em árabe que não ficasse parado diante das escadarias, que entrasse na fila ou partisse. Atravessou a rua e da calçada da frente teve a perspectiva da fila como um animal compacto que se enfiava no palácio e em seguida saía com o esqueleto quebrado, como se no interior do prédio algo tivesse rompido a sua coerência. Não faltavam lágrimas, nem empertigadas atitudes de curiosos desdenhosos, nem caras de quem está ali de passagem ou por acaso.

– E o que dão aí? – perguntou um gracioso coelhinho com os furos do nariz cavernosos e cheios de pelos.

– Hóstias.

O outro baixou os furos do nariz e recolheu os dentes na boca fechada. Parou um carro tão oficial quanto preto e dele saiu um ex-ministro da Cultura, e ao seu redor revoaram microfones e cadernetas aladas sobre os quais o senhor De la Cierva inclinava a sua poderosa cabeça senatorial e provavelmente declarava que, apesar da rivalidade política, reconhecia que era uma grande perda.

– E esse quem é? – voltou a perguntar o coelho engraçado, desta vez com vontade de ser realmente informado e recuperar a amizade do cáustico desconhecido.

– O Romanones.*

– Você deve dizer: "Quero fazer o passaporte, o senhor Plasencia me aguarda". Eles então o levarão.

Entrar pela porta da Direção-Geral de Segurança impressiona qualquer um que tenha mesmo uma escassa noção da função que cumpriu, cumpre e cumprirá aquele edifício. Mas que alguém encare o guarda e diga: "Quero fazer o passaporte, o senhor Plasencia me aguarda" coloca imediatamente sobre os seus ombros um manto real e se escutam ecos progressivos de alabardeiros proclamando: "Pepe Carvalho... Pepe Carvalho". O senhor

---

* O Conde de Romanones foi um político espanhol morto em 1950. (N.T.)

Plasencia olhou-o por cima dos óculos, esfregou as mãos cheias de frieiras e o afastou dos escritórios barulhentos onde os funcionários interrogavam as páginas esportivas dos jornais da manhã e alguém perguntava: "Temos relações diplomáticas com a Mongólia Exterior?".

– Com a Mongólia Exterior? Não enche – grunhiu o mal-humorado Plasencia enquanto alçava os olhos até o elevadorzinho que descia com lentidão asmática. – O senhor sabe onde fica a Mongólia Exterior?

– Entre a União Soviética e a China.

Plasencia o olhou admirado e abriu a porta do elevador para que ele entrasse.

– Pois muito poucos saberiam.

Plasencia o olhava de soslaio, com um olho imenso educado e deformado para a suspeição. Era evidente que Carvalho não era mongol nem chinês. Soviético? Para Plasencia, Mongólia Exterior fora durante muitos anos um país proibido nos passaportes dos espanhóis, um país proibido por Sua Excelência, e Sua Excelência teria lá seus motivos. Parecia-lhe que não havia nenhum direito de saber algo sobre um país proibido e, se alguém sabia inclusive onde ficava, esse alguém não era trigo limpo. Saíram em um corredor amplo de ladrilhos, paredes forradas de papel verde, quase sem portas. Veio ao seu encontro um homem lento com as orelhas pontiagudas e meio quilo de olheiras marrons amontoadas embaixo de cada olho. Plasencia ladeou a cabeça para apontar Carvalho, e o outro olhou a mercadoria com receio, como se acreditasse na obrigação de não acreditar no que via.

– Carvalho?

– Sim.

– A carteira de identidade.

– Eu já chequei.

– Quatro olhos enxergam mais que dois.

Incomodado com o colega, o das olheiras leu detidamente todos os dados da carteira numa velocidade de *vopo* berlinense ou de ignorante escassamente letrado.

– Nome da mãe?
– Ofélia.
– Era estrangeira?
– Não. Galega.
– Pois não me lembro de ter ouvido esse nome na Galícia.

Plasencia deixou-os grunhindo, e o das olheiras relaxou.

– Siga-me – disse, dando as costas para Carvalho para voltar ao corredor até uma janela que dava para a parede sem reboco de um pátio interno ou para um beco.

Quando parecia que ia se atirar pela janela, o das olheiras deu meia-volta e ingressou por uma porta que dava quase sem transição numa escadinha. Desembocaram numa peça quadrada sem outra porta senão a do elevador. Entraram, e o homem apertou o botão mais baixo. Carvalho calculou que deviam descer até o último subsolo. O elevador abriu-se num vestíbulo acarpetado e mobiliado segundo os critérios dos *wagons-lit* de entreguerras. Tudo cheirava a umidade, e as marcas do tempo desbotavam as juntas de qualquer objeto, como se por ali começasse o anúncio da sua decomposição. Um esbirro tomou a filiação de Carvalho, e o das olheiras transferiu o acompanhante a um rapazinho com aspecto de locutor de televisão, encoletado, com laquê no cabelo e no sorriso. Ao se abrir a alta porta forrada de couro, compreendeu que havia chegado ao final da viagem. Santos levantou-se quase ao mesmo tempo que o ministro do Interior e outro rapaz encoletado que lhe foi apresentado como subdiretor de não sei quê, adjunto de um diretor da Presidência do Governo. O ministro fez a declaração de guerra: ele era o primeiro interessado em que as coisas se resolvessem, e, nesse caso, se resolverem significava serem esclarecidas, esclarecidas o quanto antes. O senhor Pérez-Montesa de la Hinestrilla havia sido encarregado pelo mesmíssimo chefe de Governo para formar um triunvirato: governo-partido-ministro do Interior, com o objetivo de alcançar uma colaboração mais estreita. Pérez-Montesa de la Hinestrilla sorriu cordialmente, como se tentasse lhe vender um Ford Granada ou uma propriedade em Torremolinos. Santos fez um resumo da situação no mais impecável estilo de fim de ato comunista. Os três ficaram olhando para Carvalho, à espera do que diria.

– Talvez ganhássemos algo fazendo uma lista de quem não o matou.

O rapaz do colete começou a rir, o ministro do Interior demorou a entender e Santos inclinou a cabeça abatido. Não esperava aquela punhalada humorística. Um pronunciado pomo de adão sobre um colete de *tweed* começou a falar:

– O governo contempla, é claro, todo tipo de possibilidades e, ainda que esteja disposto a aceitar o resultado de qualquer investigação, pensa em ultimar, em grau supremo, o processo investigatório até chegar a seus derivados finais, por dificultosos que sejam, tendo em conta que já não jogamos com a credibilidade do governo, mas com a credibilidade do processo democrático, do Estado e das autonomias.

Com razão, Carvalho havia lido no jornal que os escritores de Madri eram partidários de ressuscitar o barroco. É um problema mental que já reflete nos subdiretores-gerais.

– Que possibilidade o governo contempla mais do que qualquer outra?

Pérez-Montesa de la Hinestrilla tomou ar, aguçando a ponta do nariz e o focinho, e mergulhou em dois fólios de ambiguidades até oferecer a conclusão de que o governo não contemplava outra coisa que o trânsito da Avenida Castellana. O ministro do Interior concordou plenamente:

– Nem mais, nem menos.

Santos tentava aplicar o materialismo histórico à situação concreta e o materialismo dialético à situação em abstrato. Carvalho entendeu assim quando viu que o velho comunista, em sua calada exasperação, revirava os olhos. Carvalho foi informado de que podia contar a todo momento, insistiram, a todo momento, com Pérez-Montesa de la Hinestrilla e com o comissário Fonseca.

– Por que escolheram o Fonseca?

– Porque é nosso melhor funcionário, e diante dos casos mais difíceis é preciso recorrer aos melhores funcionários.

O ministro do Interior havia inclinado os ombros e os olhos com uma potência dissuasiva vislumbrada nos olhos carbonizados, brilhantes:

– Não vou tolerar que discutam a competência dos meus funcionários e a minha competência para escolhê-los.

– Não serei eu quem vai discutir. Mas o Fonseca...

O ministro bateu na mesa com contenção suficiente para que nunca se pudesse dizer que havia dado um soco, mas dando:

– Santos, falamos desse assunto umas mil e uma vezes. Da mesma forma que muitos de nós esquecemos, os senhores também têm que fazer isso. O Fonseca é nosso melhor funcionário.

Pérez-Montesa de la Hinestrilla os acompanhou e quis trocar impressões sem a presença do ministro. Refugiaram-se num canto do vestíbulo e em voz baixa o jovem funcionário tentou desculpar a rigidez do ministro:

– É um tipo muito legal, mas um pouco enferrujado. Quem dera tivéssemos mil como ele. É um divisionário, da Divisão Azul, e não vão acreditar, mais anticomunista do que Deus. Mas um democrata. Um democrata de coração. E jogará com a democracia até o final. Já lhe disse ontem, Pepe, confie em nós. As coisas estão em boas mãos.

O Pepe era dirigido a Santos, que se afogava no Oceano das Perplexidades. Em seguida, Santos, Carvalho e o das olheiras entraram no elevador.

– Quem é o do colete?
– Já falaremos.

Passaram a outras mãos, por outros corredores, e os deixaram sozinhos na porta de um escritório com o nome de Brigada de Segurança do Estado.

– Aqui eu o deixo. Encontrar com o Fonseca é demais para mim. Espero pelo senhor no Continental depois do almoço, para reconstruirmos os fatos.

– Quem é o do colete?
– Um destes cinquenta mil democratas indicados pela UCD da noite para o dia para ocupar o poder. Filho de não sei quem e um pouco relacionado com o nosso partido na Universidade. Nesta cidade há milhares de tipos como ele.

– Madri é a cidade de um milhão de coletes.

Fonseca levantou-se da cadeira atrás da poderosa mesa, contornou-a e foi ao encontro de Carvalho com a mão pequena e terminada em ponta. Carvalho apenas roçou nela, talvez porque se entregara à comprovação da obra do tempo naquele rosto rômbico, desbotado, de olhos sem cílios, pupilas medrosas.

– Como vai, senhor Carvalho? – cada vez que acabava de falar apertava os lábios e olhava para o interlocutor como se pedisse perdão por algo ou talvez simplesmente pedisse compaixão. – Sánchez Ariño, meu principal ajudante. O famoso *Dillinger*, como é chamado por aí. O senhor já deve saber. E aquela saudável andaluza é Pilar.

Sánchez Ariño cumprimentou-o de longe corcoveando com os dedos, e a saudável andaluza conseguiu romper a crosta da maquiagem e do *rouge* para compor um sorriso, correndo o risco de que os cílios recobertos de rímel ficassem grudados para sempre.

– A sua fama o precedeu – Fonseca o olhava agora com os braços cruzados sobre uma barriguinha alçada como um túmulo no contexto de um corpo magro. – O famoso Pepe Carvalho.

Seguia olhando-o como se fosse pedir um autógrafo.

– Você é muito mais famoso do que eu.

– Minha fama é ruim. E tudo por cumprir o meu dever. Minha vocação sempre foi ser polícia. Sou daqueles que acreditam na vocação e concordo totalmente com tudo que Marañón disse sobre o assunto. Tive a sorte de ser discípulo de Marañón e de Ortega. Não se surpreenda. Tenho muitos anos mais do que aparento. A guerra me pegou na Complutense.* Quer tomar um traguinho, como se diz agora? Um cigarrinho?

---

* Universidade localizada em Madri. (N.T.)

A mesma maneira de entregar o maço, bem agarrado com a mão, caso no último instante fosse mais conveniente retirá-lo e deixar o detento com uma frustração a mais. Mas desta vez oferecia de verdade e, quando Carvalho recusou com o pretexto de só fumar charutos, Fonseca ofereceu a carteira a Sánchez Ariño, e o adolescente envelhecido, sem tirar os olhos saltados de Carvalho, disse que não com uma mão na qual brilhava o anel de ouro reproduzindo a cabeça de um comanche. Fonseca reprimiu o movimento inicial de ir se sentar atrás da mesa e ofereceu assento a Carvalho em umas poltroninhas forradas de couro situadas junto a uma janela que dava para a Puerta del Sol. Sánchez Ariño ficava à direita de Carvalho, sentado ou recostado num canto da mesa sobre a qual repousava a máquina em que a saudável andaluza escrevia.

– Pilar – Fonseca disse suavemente, sem olhar para ela.

Pilar levantou-se e saiu da sala entre vapores de essência de magnólia empapando as suas carnes abundantes, comprimidas em um vestido de lãzinha lilás, sobre cujas costas balançavam as madeixas tingidíssimas de azeviche.

– O senhor deve ter pressa, e nós também. Preciso confessar que me opus desde o começo a que houvesse uma investigação paralela. O senhor ministro me pediu, devido às circunstâncias. Que circunstâncias, o senhor perguntará, ou não perguntará?

– O senhor, o que prefere? Que pergunte ou não pergunte?

– Não vamos nos enganar. Aquela pasta ali, a terceira, começando pelo lado direito, é sobre o senhor, e o senhor sabe quem sou. Se eu aceitei a sua investigação é para que nunca se diga que Fonseca conduziu este trabalho movido por apriorismos, por clichês. Eu sou um profissional. Ontem persegui vermelhos e, hoje, amarelos. Amanhã, talvez seja de novo a vez dos violetas.

– Ou dos vermelhos outra vez.

Fonseca e Sánchez Ariño se olharam. O comissário inclinou-se até Carvalho e encrespou a voz para despejar:

– Que nada! Agora eles têm o país bem agarrado pelos colhões. Desta vez não vão largá-los – e apontava para a bragueta com um dedo nervoso. – Os tempos mudam.

Suspirou como um beato. Suas feições abrandaram-se, como se não tivessem nada a ver com o rosto contraído de uns instantes atrás. Era o mesmo de sempre. O grande histriônico que podia esbofetear e no instante seguinte ajoelhar-se e pedir perdão suplicando que não o obrigassem a se comportar assim.

– Queria saber em que fase estão as investigações.

– Estamos fazendo uma análise para checar as diferentes declarações dos membros do Comitê Central. As declarações foram dadas na madrugada do mesmo dia do acontecimento e no local do crime. Foram tomadas por funcionários da delegacia do distrito, ainda que estivessem presentes altos cargos da Direção-Geral de Segurança.

– O senhor?

– Eu? Não. A minha designação foi posterior. Eu acompanhava o andamento da investigação daqui. Não me meto onde não sou chamado. Foi sempre assim na minha vida.

Em 1940, o jovem Ramón Fonseca Merlasa entra em contato com a organização clandestina do Partido Comunista da Espanha. Ninguém o chamara, mas é bem acolhido porque alguém se lembra dele como um militante ativo da FUE* em 1934, ano do seu ingresso na Universidade de Madri. Fonseca demonstra uma grande ousadia nos primeiros trabalhos de que o partido

---

* Federação Universitária Escolar; organização estudantil. (N.T.)

o encarrega, em condições históricas em que qualquer prisão poderia significar o fuzilamento. Em 1941, alcança uma alta posição na organização de Madri e lhe dão a responsabilidade de fazer contatos com o exterior, sendo indicado inclusive como membro do Comitê Local. A atividade crescente dos grupos clandestinos deixa o governo nervoso diante das exigências alemãs de que acabem o quanto antes e diante das pressões dos embaixadores aliados solicitando informações sobre a repressão. Fonseca poderia ter prosperado no partido e chegado à direção, mas exigiram que ele entregasse todos que pudesse das células de Madri, e ele obedeceu. O seu rosto nunca seria esquecido por homens e mulheres que pagaram com a vida ou com vinte ou trinta anos de prisão pelo êxito de seu trabalho, e quando, anos mais tarde, o partido alastrou-se por toda a Espanha e teve um regime regular de baixas, foram muitos os que reconheceram no comissário Fonseca aquele entusiasta infiltrado que citava fragmentos de *Que fazer?* ou de *O estado e a revolução* com a fluência de um especialista e com a convicção de um fanático. Um fanático velho e cansado era quem contemplava Carvalho, tentando decifrar seu código de comportamento e adivinhar o que estava pensando do próprio Fonseca. Um sorriso de zombaria para o outro, e a piedade para si mesmo dançava nos lábios do comissário:

— Foram eles mesmos. Disso não resta a menor dúvida. É uma luta pelo poder.

— Pelo poder num partido ressentido por um assassinato? Não faz sentido.

— Vão digerir o crime. Na verdade já não sabiam o que fazer com o Garrido. Era um símbolo para os maiores de cinquenta ou sessenta anos, mas era cada vez mais contestado entre os jovens. E se não foi esse o motivo temos um grande ajuste de contas com a KGB, porque é evidente que o Garrido era um agente da KGB.

– E as suas atividades antissoviéticas?

– Vou colocá-lo em contato com este rapazinho, sim, com este, para que lhe explique do que se trata, senhor Carvalho. Sánchez, venha, despeje agora o que falamos tantas vezes.

– Para quê?

– Como, para quê? Conversando a gente se entende. Temos que convencer o amigo. Temos que explicar tudo para ele. Diálogo. Diálogo. Não estamos em plena democracia?

– Mas é inútil.

E apontou a pasta sobre Carvalho.

– Refere-se aos seus antecedentes. Sánchez tem a teoria de que quem foi comuna uma vez na vida segue sendo sempre. Dê uma oportunidade ao cavalheiro. Ele tem um currículo interessante.

Sánchez Ariño suspirou resignadamente, recuperou a postura e começou a andar enquanto falava:

– A KGB tem uma seção especial de propagandistas antissoviéticos que são capazes de manifestar isso publicamente se essa manifestação favorecer os interesses da URSS. Por exemplo, na Itália, Espanha e em todos os países do eurocomunismo ou da euromerda. Os comunistas que fazem declarações públicas contra a URSS o fazem porque a URSS não tem interesse em dar a impressão de que pode ser instalado na Europa ou em qualquer país capitalista desenvolvido um comunismo que lhe seja fiel. Joga com o fato de que o capitalismo seja tão pueril que crie as discrepâncias e aceite a alternativa euro. Logo vai colher os frutos, por exemplo, os frutos de uma política internacional não alinhada etc. etc. É o básico, e não sei por que me fez falar, dom Ramón, se é inútil.

— Suponhamos que esse roteiro de filme de televisão esteja correto. Por que liquidar com o Garrido, se fazia tão bem o seu papel?

— Algo deve ter saído mal. Talvez se tenha acreditado que o assassinando não apenas se matava o cachorro, mas a raiva. Todo o partido foi atingido, desautorizado, e a União Soviética está em condições de manipular o que restar dele ou de se apoiar em outra plataforma política mais fiel.

— Esse é um apriorismo ou já é o final de uma investigação que ainda não começou?

— Essa é a teoria — sorria Fonseca, espalmando os joelhos com as duas mãos. — A investigação será prática.

— E outros motivos? Uma vingança pessoal. Um provocador de extrema direita, de qualquer serviço secreto e não precisamente do soviético...

— É possível. Está vendo? O senhor também parte de um pressuposto. É a sua teoria. E a sua teoria absolve o partido, o comunismo. O senhor começa a investigação com um compromisso político evidente. Será a sua teoria, e a investigação será para o senhor uma mera prática que ratifique as suas teorias. E poderá fazê-lo com maior desenvoltura do que eu, porque o senhor vai dar razão a seus senhores e eu, em troca, hei de oferecer conclusões que tranquilizem o governo, a oposição, Deus e o mundo, porque, isso sim, é preciso salvar a democracia. A democracia que não se destroce. Com certeza.

Sánchez Ariño começou a rir com uma risada aguda, como se lhe escapasse por uma fresta da sua seriedade.

— De que você está rindo? Hein?

Mas também Fonseca era acometido por um ataque de riso e tapava a boca com uma mão para conter a ebulição das gargalhadas contidas.

— Olhe, está me fazendo rir. O que este homem vai pensar? Que é uma farra?

— É que, chefe, tem umas coisas...

E explodiram finalmente até as lágrimas, enquanto Carvalho levantava e caminhava até a porta.

— Falta uma coisa.

Fonseca vencera a sua própria risada depois da última gargalhada. Ao virar-se, Carvalho o viu primeiro sério, em seguida grave, brincalhão, importante, alcançando-lhe um papel cheio de anotações e números de telefone.

— Quero que possa me localizar a qualquer hora do dia. Para que depois não falem.

— É VERDADE que houve tiros em frente às Cortes?

— Senhora, circule, eu não sei de nada.

Carvalho ouviu o comentário ao sair da Direção Geral de Segurança e transferiu a pergunta para Carmela quando entrou no carro. Carmela assentiu com os olhos.

— Não. Nas Cortes, não. Mas houve tiros na Plaza de Canalejas. Vieram de um carro, para o ar. É para criar clima. Ontem já aconteceu em quatro pontos de Madri. E esta manhã grupos de fascistoides estiveram brigando em Malasaña e na Faculdade de Letras. Você viu isto?

Alcançou-lhe um número de *El Heraldo Español*. O chefe da Força Nova* dizia: "Quem com ferro fere, com ferro será ferido". "Os crimes de uma ideologia criminosa voltam-se contra os que têm essa ideologia."

— Em todos os jornais há toneladas de profundidade. Os socialistas fizeram uma edição especial do *El Socialista*; vale a pena. É um elogio envenenado ao Garrido.

---

* Partido de extrema direita. (N.T.)

Diz que tentou democratizar o partido sem conseguir, que perdeu o controle do movimento sindical e não pôde impedir que se radicalizasse, que foi uma vítima da contradição entre a realidade e os seus desejos. Estão contra nós. Todos estão contra nós.

Alguém já disse que o pior que pode acontecer a quem tem mania de perseguição é que o persigam de verdade. Carvalho calculava os anos de militância de Carmela. Não podiam ser muitos e, no entanto, havia incorporado toda a cultura dos subterrâneos, talvez com o acompanhamento musical da cultura do rock, também cultura de porão e penumbra.

– Onde você quer almoçar? Disseram que tem o paladar requintado.

– Leve-me para as cantinas.

– Sério?

– Sério.

– Escolha. Ou vamos bater pé por Argüelles ou ficamos por aqui, por Echegaray e arredores.

– Vamos sair daqui, já andei muito por este bairro.

Carmela estacionou o carro numa faixa de segurança da Plaza del Conde del Valle Suchil, colocou os óculos de sol e começou a caminhar decididamente pela Rodríguez de San Pedro.

– Que tal cebola recheada?

– Recheada de quê?

– De carne. Servem no La Zamorana. Ali você também pode comer um picadinho de carne muito bom. Depois uns rinzinhos no Ananías.

– Para petiscar. Mas depois tem que comer para valer.

– Meu estômago é do tamanho de uma cebola recheada.

– Problema seu.

Carvalho petiscou num rápido passeio pelas cantinas com cara de restaurante de Argüelles e, ao exigir um restaurante para consumar o ato de comer, Carmela recorreu a umas anotações que tinha no bolso. Casa Ricardo. Eu não conheço quase nada. A verdade é que eu me considero comida e bebida. Carvalho mostrou-se implacável até conseguir sentar-se diante de um prato de morcelas seguido de outro de dobradinha, à sombra de uma jarra de vinho de Noblejas.

– Não entendo como tudo isso cabe em você. Depois do que já comeu. Três morcelas ocupam um esôfago. Onde você as coloca?

– Como para esquecer.

– Isso você diz para todas.

– Se um homem age segundo a sua consciência, pode se enganar? – alguém perguntava a alguém. Apesar da viscosidade da dobradinha, Carvalho considerou que a pergunta merecia certa atenção. Voltou-se para contemplar o aspecto equestre de um executivo agressivo encurralando com suas evidências três atônitos representantes do interior.

– Você me diz: se reduzir o quadro, fico na rua com um seguro-desemprego que mais dia, menos dia vai terminar e, depois, o que eu faço? Você me diz isso e eu tenho que pensar e levar até minha consciência.

– É que...

– Deixe-me falar. Eu tenho isso na consciência. Brrrummm. Brrrummm. Brrrummm. A consciência começa a dar voltas na coisa. Eu sei o que é isso, bem, não sei, mas posso imaginar. E a minha consciência diz: reduza o quadro porque, se não reduzir o quadro, Macário, acabou a invenção e você vai ser obrigado a fechar. Eu digo pra você: o que é pior, o mal de poucos e o bem de muitos ou o contrário?

– Visto assim, é claro...
– O mal de poucos. Além disso, minha consciência me diz outras coisas. Há uma seleção natural. Os fortes ficam. Os fracos vão pro cacete. Quantos fabricantes de pão fecharam? Nenhum. Quantos fabricantes de tecido? Muitos. Do pão se precisa todos os dias. Dos tecidos, de vez em quando e, às vezes, os importados são mais baratos.
– É que, senhor Macário, se me permite, a Catalunha está afundando.
– Claro!

Concluiu Macário, como se todo o seu longo esforço de raciocínio levasse a essa conclusão.

– Um pouco fascistinha o cara, não? – sussurrou Carmela.

Carvalho seguia voltado para o grupo, e Macário percebeu que despertava interesse no atento comensal. Levantou a voz:

– Chegamos à hora da verdade. Se for preciso entrar no Mercado Comum, entramos. Mas não entraremos todos, pois então...
– Pois então.
– Pois então.
– Pois então. Entrarão os que chegarem lá em boas condições para competir. O que você fabrica? Relógios. Não precisamos disso, nós os compramos dos suíços ou dos japoneses. Claro! Se os suíços ou os japoneses fazem os melhores relógios, para que vamos fazer nós os relógios?

Enviou um sorriso cúmplice para Carvalho, e o detetive respondeu constrangido pelo impacto daquela verdade objetiva.

– Nem estofados – disse Carvalho em voz alta.

Macário estudou os prós e contras da intromissão daquele estranho e decidiu assumi-la:

– Nem estofados. O que faremos com nossos estofados?

– Estofados, talvez – forçou o representante valenciano.

– Nada de estofados.

– Nada.

Carvalho assegurou da sua mesa:

– Em troca, darei outro exemplo: morcelas. Por que morcelas? Por que não estas morcelas bem fabricadas, ora, para conquistar a Europa? Repito. Não há por que seguir caminhos já trilhados.

Carvalho decidiu parar de prestar atenção em Macário e voltou a encarar uma Carmela perplexa.

– Mas você é um baderneiro! Você pegou esse cara e ficou na sua!

– Gosto dos filósofos de depois do almoço. Em todo ser humano há um colaborador das páginas dominicais do *ABC*, e esse tempo depois do almoço nos restaurantes serve para desafogar essa criatividade reprimida. Quer que pergunte a ele se os churros têm futuro no Mercado Comum?

– Se você perguntar, eu vou embora. Isso vai acabar no Pronto-Socorro.

– É preciso ajudar as pessoas a fazerem a digestão.

Um pouco confundido pelo súbito desinteresse do desconhecido, Macário havia baixado a voz e estava falando de política:

– Não podemos seguir assim, é preciso recuperar o senso de autoridade, todos os políticos são iguais.

Carmela levantou-se, seguida por Carvalho. O detetive inclinou-se em direção à mesa de Macário e lhe desejou bom proveito. Macário ficou a meio caminho entre levantar e oferecer um trago, porque Carvalho não lhe deu nenhuma atenção.

Tinha visto o salão do crime pela televisão e, na verdade, lhe pareceu maior, cheio de vazios, de esquinas, de caminhos variáveis. A mesa da presidência estava situada sobre um pequeno estrado e tinha uma largura de sessenta centímetros. O assassino teria de se virar e desferir o golpe com uma precisão inexplicável na mais completa escuridão.

– Com precisão e com destreza de especialista. É a punhalada de um soldado, de uma pessoa treinada especialmente para isso.

Santos e Mir haviam convocado os membros do Comitê Central residentes em Madri e o serviço de segurança presentes no dia do assassinato. Carvalho pediu que eles se sentassem nos mesmos lugares que haviam ocupado no sábado anterior e que o serviço de segurança se situasse nas posições assumidas.

– Os mais velhos sempre sentam na frente?

– Sim. Por uma questão de audição, não confiam no sistema de som, o que vamos fazer, e por uma questão de educação comunista. Nas filas da frente não se pode ler o jornal, como alguns fazem nas filas de trás.

Mir havia antecipado a sua resposta à de Santos Pacheco, mas não impediu a sua intervenção.

– Isso do jornal é meramente anedótico. Sentam-se na frente também por uma maior confiança, por uma maior proximidade histórica com a direção. É compreensível. Não é tão simples.

– Se você diz. Mas lá atrás há quem tenha feito a sesta, e com direito a ronquinhos.

– Uma andorinha não faz verão.

– Pergunte a eles se desejam acrescentar algo ao que declararam à polícia.

Santos encarou os membros do Comitê Central, distribuídos pela sala numa atitude de estudantes entristecidos.

– Este senhor é um especialista nestas questões, me refiro à investigação criminal – vacilou, como se a palavra criminal não lhe parecesse a mais adequada. – Enfim. Está aqui para nos ajudar, e qualquer coisa que lhes ocorra ou que lembrem e não esteja nas declarações à polícia pode ser muito útil para ele e para nós.

Ninguém dizia nada. Todos se lançavam olhares através das distâncias impostas pelos membros de toda a Espanha que faltaram à reunião.

– Ele que pergunte – disse uma voz vinda do fundo, e atrás da voz levantou-se um protótipo de professor substituto. – Acho que ele sabe o que quer saber, e nós não. Eu me confesso esvaziado depois do que já declarei.

Os demais concordaram. Carvalho deu dois passos para frente e engoliu a ironia que se entrevia em seu sorriso enquanto pensava que algum dia sonhara em falar para um Comitê Central, mas em circunstâncias bem diferentes:

– O apagão durou três minutos. O tempo exato para que os empregados do hotel viessem conectar novamente o fusível. Em cinco minutos, o assassino teve de se movimentar em uma velocidade recorde. Sair de onde estava, aproximar-se do estrado, adivinhar onde estava o coração, dar a punhalada, voltar ao seu lugar de partida. Alguém ouviu algum barulho? Ou simplesmente notou o deslocamento de ar que alguém produz ao passar. O assassino ou bem conseguiu entrar por algum lugar ou saiu das mesas, e pelo pouco tempo que dispôs deve ter corrido muito depressa pelos corredores que ficam entre as mesas.

– Foi uma bagunça quando a luz se apagou – interveio um dos velhos da primeira fila. – O próprio Fernando fez piadas e entre as risadas e os comentários de sempre houve ruídos e duvido que alguém pudesse notar qualquer movimento na sala.

– Mas se o assassino estava sentado nas mesas seu companheiro de mesa ou as pessoas mais próximas devem ter notado o movimento ao se levantar ou se deslocar.

O substituto voltou a intervir:

– A percepção sensorial é predeterminada. Ou seja, se o objetivo perceptivo tivesse sido captar esse movimento, teria captado. Mas todos estávamos, em primeiro lugar, na expectativa da escuridão e, em seguida, dos comentários do próprio Garrido.

– Camarada, você dá como certo que o assassino é um de nós.

Era ao mesmo tempo uma pergunta e uma queixa de um homenzinho mais enrugado que a terra sobre a qual teria estado cavando boa parte da sua vida.

– Eu não sou camarada de ninguém. Para começar, que isso fique claro.

– De fato – interveio Santos. – Pensei que tinha ficado claro. Este senhor é um profissional contratado pelo partido. O que não quer dizer que não devamos prestar a ele toda a nossa colaboração.

– Senhor profissional contratado pelo partido... – As risadas dos demais marcaram a pausa do homenzinho que transpirava ironia por todas as rugas. – Repito o que disse. O senhor já dá por consumado que o assassino estava aqui, entre nós, que era um de nós.

– Preparem-se para o pior, amigos.

Carvalho foi até a porta e a abriu. Ficaram emoldurados dois membros do serviço de ordem.

– Estavam aqui?

– Um pouco mais longe, aqui. – Retrocederam alguns passos. – Mas quando a luz apagou fomos até a porta por instinto, para comprovar se o apagão também havia atingido a sala.

– Abriram a porta?

– Sim. Vimos que estava às escuras e voltamos a fechá-la. Então pedimos para os que estavam ali, ao pé da escadaria, que fossem ver o que estava acontecendo.

– Têm certeza de que voltaram a fechar a porta?

– Absoluta.

– O mais normal é deixar aberta a porta de uma sala às escuras.

– O Mir mandou que esta sala ficasse fechada. Para que seja difícil entrar e sair. Sempre nos diz o mesmo.

– Por que é preciso dificultar a saída?

– Porque sempre há quem dissimule com a desculpa de se levantar para fumar um cigarrinho. Como é proibido fumar dentro da sala...

Carvalho fechou a porta e voltou a enfrentar o Comitê Central:

– Ninguém de fora entrou, ou o serviço de segurança está mentindo. Caso esteja mentindo, assume a responsabilidade direta do crime, porque podiam ter dito que não lembravam se tinham fechado a porta ou não. Agora só resta saber se eram todos os que estavam. Todos os que estavam eram membros do Comitê Central?

– Sim. Disso eu posso dar fé – disse Santos. – Fazemos uma lista, ou seja, eu faço pessoalmente uma lista dos que assistem e dos que assistem parcialmente, ou seja, dos que se ausentam logo em seguida, sempre por motivos justificados e na maior parte das vezes por trabalho político. Depois que saíram os da televisão, somente ficaram aqui os membros do Comitê Central.

– Alguém que entrou com o pessoal da televisão poderia ter ficado – propôs uma mulher cinquentona com aparência de mãe de doze filhos.

– Nada disso – era Mir quem assegurava. – Entraram quatro e saíram quatro. E quando saíram eu mesmo fechei a porta e fui para o meu lugar.

– O mistério da sala fechada – disse o substituto como se anunciasse o começo de um filme.

– O senhor foi quem disse. E deve saber que o mistério da sala fechada não existe a menos que acreditemos na possibilidade de se ultrapassar paredes, e os senhores são os menos inclinados a acreditar nessas coisas.

– Há de tudo. Tem muito cristão solto por aí.

As risadas foram contidas diante da sensação de se estar violando o luto.

– Não podemos aceitar que o assassino seja um de nós. Isso é o que querem. Querem nos desmoralizar. Querem semear a desconfiança em nossas próprias fileiras. Investigaram bem o local? Não há possibilidade de outras saídas?

– Tem uma porta de emergência que abre por dentro, mas para abri-la por fora é preciso usar uma chave. A única coisa que essa porta indica é que o assassino pode ter escapado, mas ao que parece não se interessou em fugir, porque isso teria significado se identificar.

– É inaceitável – voltou a insistir o homem enrugado.

O substituto disparou:

– Aranda, não seja irracional. Eu estou tentado a pensar o mesmo que você, mas fatos são fatos. Fatos são mais obstinados do que ideias.

– É inaceitável. E repreendo vocês por terem procurado um profissional para solucionar este caso. É um caso político e deve ter uma solução política, entre nós, pelo conjunto do partido.

– Podemos procurar um investigador que lhe dê razão e que demonstre que o assassino é o diabo ou o Espírito Santo. Terá salvo o partido, mas terá matado o materialismo dialético.

— Palavras, palavras. Há muita gente com um bom papo por aí – o homem enrugado defendia-se diante do substituto.

— Nas pastas estão todas as declarações transcritas da fita, mais uma reconstituição de todos os movimentos do Garrido desde que saiu de casa, entrou no hotel, subiu. Tudo. Se for preciso, voltaremos a convocar o pleno do Comitê Central, mas há uma convocatória para o próximo final de semana com a finalidade de eleger o secretário-geral provisório até o congresso. Pode esperar uns dias?

— Posso.

— Talvez tenha ficado com uma impressão negativa da reunião. Temos um pudor especial. Não queremos que as nossas coisas se espalhem, é como se ainda estivéssemos protegendo-as da repressão, como se ainda tivéssemos complexo de clandestinidade. Além disso, a perseguição social e política é certa. Hoje já não se trata daquele anticomunismo grosseiro do franquismo diante do qual até os democratas liberais reagiam. Hoje se instalou na sociedade um anticomunismo de fundo, movido pelos que procuram cúmplices para o seu passado repressivo e pelos que têm medo das propostas de progresso do partido.

— Não insista. Eu não voto.

— Só queria...

— Este dossiê basta, mas preciso que me deixem livre pela cidade. A garota essa, Carmela, é muito agradável, mas já sei andar sozinho.

— Ela está à sua disposição, não o contrário. Circule à vontade, mas tenha cuidado. Houve movimentos de tropas por San Cristóbal de los Ángeles e Villaverde. São movimentos táticos, dissuasivos. Ninguém sabe nada de nada, mas acontecem em toda situação de crise. Os radicais andam soltos. Estão batendo indiscriminadamente e assaltaram duas sedes do partido, em Aluche e Malasaña.

– O que de concreto a polícia conseguiu tirar do interrogatório do Cerdán?

– A polícia procura um Oswald. Cerdán conserva certa influência no partido, sobretudo nos setores intelectuais e entre alguns dirigentes do movimento sindical. Mas daí a se pensar que ele possa coordenar uma conspiração interna contra o Garrido só indica um desconhecimento abismal do partido.

– Eu queria falar com o Cerdán.

– Isso é problema seu.

– Meu ou do Cerdán?

– Seu. O telefone está no guia.

– Não gosta da ideia?

– Ele foi um camarada valioso. Mas sabia demais.

– Quando você se deu conta de que ele sabia demais, antes ou depois de ele deixar o partido?

– Mesmo que não acredite, foi muito antes.

– Por onde ele anda agora?

– Ecologistas, radicais, feministas – Santos abriu os braços abarcando tudo o que podia ser amplo ou alheio a ele.

– O Cerdán? Estamos falando da mesma pessoa?

– Suponho que sim.

– Uma pergunta íntima: os senhores desenvolveram corpos paramilitares na época da resistência. Suponho que receberam treinamento especial.

– O único treinamento especial que recebemos foi a guerra, a guerra civil e a Segunda Guerra Mundial; muito poucos quadros do partido tinham recebido formação militar superior, teórica, e isso foi antes da guerra e em casos excepcionais. O Líster, por exemplo, quando teve de deixar a Espanha e se refugiar na URSS.

– Essa punhalada é obra de um especialista. As boas punhaladas são dadas de baixo para cima, e entre o assassino e o Garrido havia a mesa e a altura do estrado. E a arma?

– Saiu em todos os jornais: um punhal tchecoslovaco, especialmente fabricado para ações especiais. É o punhal dos paraquedistas tchecos, por exemplo.

– Um punhal para um especialista, de folha larga e acanalada. Um punhal que abre um corredor no peito.

Os olhos de Santos tremiam, como se o punhal o estivesse machucando. Carvalho deu as costas para ele, despedindo-se com a mão, e às suas costas ouviu a voz de Santos:

– Se quiser ver o Cerdán, o encontrará esta noite, às oito, na livraria António Machado. Ele está lançando um livro.

– Você controla a vida dele?

– Eu me limito a ler o *El País*.

– Fui convidado para o enterro? Não há convites particulares?

– O enterro será amanhã às dez.

Carvalho encontrou uma Carmela nervosa, dando voltas pela calçada e consultando o relógio quase sem lhe dar tempo de marcar a passagem do tempo.

– Enfim. Estou num aperto. Chamei o idiota do meu marido, mas ele não pode ir buscar o menino na creche. Eu tenho de ir. Importa-se de irmos até a creche? Em seguida o deixo com a minha irmã e sigo com você.

– Decidi me liberar de você. O Santos me deu permissão.

– E os outros, o que vão dizer?

– Eles mandam mais que o Santos?
– É outro assunto. Vou avisá-los. Mas alguém vai segui-lo.
– Onde fica a livraria António Machado?
– Vai comprar um livro ou ir ao lançamento do Cerdán?
– Pelo visto, todos neste partido estão preocupados com o Cerdán.
– Ele está na moda. É preso, interrogado...
– O que você acha dele?
– É um chato. Mas irei à livraria. Aquilo vai ser um acontecimento. Tome – anotou um telefone. – Caso eu não vá. Estarei de plantão esta noite com o meu filho. Se você precisar de alguma coisa. Sabe onde fica a livraria Machado? Também vou anotar o endereço. Fica muito perto do *pub* Santa Bárbara. Também não sabe onde fica o *pub*? Mas de onde você saiu? Em Barcelona vocês não estão por dentro de nada...

Carvalho ficou sozinho em Madri, sobre uma calçada ajardinada que rodeava a quadra inteiramente ocupada pelo Hotel Continental. Vislumbrou a uma relativa distância os blocos dos novos ministérios e foi procurar a Castellana, desejando sair o quanto antes daquele bairro igual a qualquer outro bairro de hotéis e escritórios modernos de qualquer cidade do mundo. Desceu a Castellana sem outro propósito que afirmar a sua liberdade e comprovar se era seguido. Um dos rapazes do comitê de recepção do aeroporto tentava adequar seus passos largos aos de Carvalho. Esperou por ele:

– Olhe, menino, vou comer uns camarões e depois vou à livraria António Machado. Se quiser, venha me proteger na livraria. Não acho que vá me acontecer alguma coisa enquanto como camarões. Vocês têm umas horas livres para dar uma trepada ou tomar uma limonada.

– Não sou um menino. Meu nome é Júlio e prefiro colecionar selos. Sou filatelista. Mir vai cagar em nós se o deixarmos...

– Se eu quiser, despisto vocês do mesmo jeito. É melhor fazermos um pacto.

– O senhor faça o que quiser. Disseram que era para segui-lo e vamos segui-lo. Se nos despistar, então em seguida vamos comunicá-los.

Carvalho adiantou-se dois passos e, decididamente, parou um táxi. Pelo vidro traseiro, viu como o rapaz corria fazendo gestos, reclamando a ajuda do seu colega ao volante de um carro.

– Entre neste ministério. Por esta porta lateral. Pare. Tome.

Deixou nas mãos do surpreso taxista duzentas pesetas, desceu do táxi, cumprimentou um bedel e dispôs-se a subir escadaria acima.

– Aonde vai?

– Dom Ricardo de la Cierva está me esperando.

– Dom Ricardo não é deste ministério. Não viu na porta que este é o Ministério do Comércio?

Nem rastro dos seus seguidores na rua. O ar de Madri cheirava a camarões na chapa.

– Não é por acaso que, perto de começar a psicose do fim do milênio, entre na moda um livro como *1984*, de Orwell, e renasça o interesse pelas outras propostas de literatura utópica mais consistentes do século XX: *Admirável mundo novo*, de Huxley, e *Nós*, de Zamiatin. Não é que o fim do século confirme as premonições utópicas desses três autores, mas, em uma época de crise, os setores mais críticos da cultura vivem o pesadelo do naufrágio de todos os modelos, e quando não há modelos avalizados nem avalizáveis não resta outra saída que a utopia ou o cinismo, às vezes disfarçados de um pragmatismo de eficácia histórica disfarçada da virtude da prudência. Não queria fazer sarcasmos na presença do corpo sem vida de um homem que mereceu todo o meu respeito e que hoje merece somente o respeito daqueles que acreditaram nele como porta-voz do projeto revolucionário. Mas na presença do corpo sem vida de Fernando Garrido me pergunto o que foi feito da prudência revolucionária que tanto reivindicou nos seus últimos tempos para dissimular que havia perdido toda a possibilidade de imprudência. Hesitei entre respeitar a convocatória para este ato, feita antes do assassinato, ou cancelá-la e somar-me à dor que todo bom revolucionário deve sentir, ainda que não considerem Fernando Garrido um revolucionário. Eu tampouco o considero um revolucionário e, no entanto, gostaria que acreditassem em mim quando digo a vocês que estou triste, como só se pode estar triste quando se perde algo que afeta a própria identidade. E se finalmente aceitei vir é porque este assassinato é por si mesmo um aval aparente da utopia negativista. Submetidos ao pesadelo, os críticos da realidade podem reagir apostando numa utopia positiva ou negativa. Uma aposta na utopia positiva implica obedecer a indicação de Lenin formulada num momento em que a crise pairava sobre o movimento socialista russo e europeu e, carente de todo um modelo que não fosse um fracasso, Lenin tomou para si a proposta de Liebknecht: estudar, fazer propaganda, organizar-se para melhor apreender uma realidade já não apreensível por uma mecânica política progressivamente desvalorizada por sua obsessão com a sua própria lógica e pela renúncia de entrar em um forcejo dialético com a realidade. Uma aposta pela utopia negativa, em troca, implica precisamente, neste momento, ver no assassinato de Fernando Garrido uma prova de que o *Admirável mundo novo* de Huxley está próximo, ou que está próxima a Oceania de Orwell ou esse cosmos desumanizado de Zamiatin. E que esse mundo não é outra coisa que o sistema mundial de dominação que engole os seus filhos, os integra na fatalidade das regras do jogo da sobrevivência e do equilíbrio. Sob esse prisma, o telefone vermelho nem sequer une. Ata. O assassinato de Garrido é uma peripécia tolerável que não vai desenterrar as lanças dos *sans-culottes* nem vai colocar os tanques na rua. É um pedaço de carne oferecido à lógica do sistema, e questionar esse fato significa questionar o sistema e pôr em perigo a celebração de atos como esse ou que se possa reunir o Comitê Central na legalidade ou que existam cursos universitários para maiores de 25 anos ou que escritores como Vázquez Montalbán possam ganhar o prêmio Planeta. Nem Orwell, nem Huxley, nem Zamiatin puderam prever que a confabulação para conseguir o mundo horroroso que profetizaram pudesse resultar de um pacto implícito e explícito entre os dois sistemas antagônicos. Zamiatin era um *narozni*, um populista russo que acreditava em uma revolução camponesa e na implantação de um modo de produção asiático, frente ao sistema de acumulação capitalista de Estado que significou a NEP* impulsionada por Lenin e embalada por Stalin. Huxley ironizava sobre os excessos a que o comunismo russo podia levar, não compreendido ao vivo, mas interpretado a partir da apaixonada conversa fiada dos jovens comunistas ingleses do entreguerras,

---

* Sigla para Nova Política Econômica seguida na União Soviética entre 1921 e 1928, que recuperou algumas características do capitalismo para reconstruir a economia no pós-guerra civil. (N.T.)

entre uma ou outra regata de Oxford. De fato, a obra de Huxley é uma piada que tenta alertar, mínima e liberalmente, a suposta consciência liberal britânica. E quanto a Orwell, como o diz muito bem Deutscher em *De hereges a renegados*: "Ainda que a sua sátira esteja mais claramente dirigida contra a União Soviética que a de Zamiatin, Orwell via também elementos da sua Oceania na Inglaterra do seu próprio tempo, para não falar dos Estados Unidos. Na realidade, a sociedade de *1984* encarna tudo o que ele odiava, tudo que o desgostava em sua própria circunstância: a monotonia cinza do subúrbio industrial inglês, a fuligem encardida e a feiura hedionda do que tentava descrever em seu estilo naturalista, reiterativo, opressivo: o racionamento da comida e os controles governamentais que conheceu na Grã-Bretanha em guerra...".

Levantou os olhos do papel ao qual havia recorrido somente para ler a citação e encontrou com o olhar de Carvalho. Os seus olhos tentaram lembrar e lembraram por trás de lentes mais imensas e entristecedoras que as de 25 anos atrás, e uma máscara amarela envolveu as suas feições, caídas como câmaras desinfladas sob a ditadura pujante dos seus cabelos espetados de cama de faquir. Devolveu o olhar à coletividade que vinha a partir do horizonte até formar uma margem de rostos elevados a seus pés de pregador:

– Ingênuos utópicos. Acreditaram que é possível construir utopias para salvarem-se dos pesadelos e então se limitaram a cair na escravidão dos seus medos, aos quais seguem seu rastro por vinte, quarenta, cem anos, sem saber que os pesadelos se transformam e os medos também. Não há imaginação que possa prescindir do que nos acontece. Que utopia poderíamos construir hoje a partir desse corpo sem vida de Fernando Garrido, cujo nome não invoco em vão, cujo nome não invoco sem dor? A paisagem é escura. Mas precisamente porque é tão negra a noite pode ser menos difícil se orientar nela com a modesta ajuda de uma bússola. No prólogo do primeiro número da revista *Hasta Luego*, eu expressava que sentia certa perplexidade diante das novas contradições da realidade recente. As contradições se acirraram, mas estou menos perplexo a respeito da tarefa que teria de ser proposta para que depois desta noite escura da crise de uma civilização despontasse uma humanidade mais justa numa Terra habitável, em vez de um imenso rebanho de abestalhados numa barulhenta esterqueira química, farmacêutica e radioativa. A tarefa, que em minha opinião não se pode cumprir com agitada inconstância racionalista, mas, ao contrário, tendo racionalmente sossegada a casa da esquerda, consiste em renovar a aliança oitocentista do movimento operário com a ciência. Pode ser que os velhos aliados tenham dificuldades para se reconhecerem, pois ambos mudaram muito. E nesse objetivo podem-se reunir vários movimentos, como o ecologista, portador da ciência autocrítica deste fim de século, ou o feminista, se fundir o seu potencial emancipatório com o das demais forças da liberdade e, por que não, as organizações revolucionárias clássicas, se compreenderem que a sua capacidade de trabalhar por uma humanidade justa e livre tem que se depurar e se confirmar através da autocrítica do velho conhecimento social que deu forma a seu nascimento, mas não para renunciar à sua inspiração revolucionária, perdendo-se no triste exército social-democrata precisamente quando esse, consumado o seu serviço restaurador do capitalismo depois da Segunda Guerra Mundial, está às vésperas da debandada, mas para reconhecer que eles mesmos, os que vivem por suas mãos, estiveram por demais deslumbrados pelos ricos, pelos descriadores da Terra. Pena que Fernando Garrido não esteja entre nós para aceitar este chamamento, esta proposta de esperança, de utopia positiva. Sinto dizer, mas ele morreu nas fileiras do triste exército social-democrata, nas fileiras dos descriadores da Terra, ainda que o salve para a História da sua memória, nossa memória.

Alguém disse "amém" ao lado de Carvalho. Era o substituto da reunião do Comitê Central. Foi um amém sepultado por aplausos tão voluntariosos como abafados, aplausos de enterro brilhante, de sermão final de cidade sitiada. Cerdán havia sido rodeado de jovens dispostos a deixar tudo para segui-lo. Não o parabenizaram. Pediam bibliografia e iluminação sobre a realidade. Carvalho acreditou reconhecer algum dos rostos que havia conhecido no Hotel Continental. Surpreendeu Carmela enfiando um livro na bolsa, e Júlio dando um tapinha nas costas de Cerdán. O mestre estava cansado ou ao menos tinha os olhos cansados, olhos que ele acariciava com as mãos, como se os estimulasse a seguir contemplando a realidade da barulhenta esterqueira química, farmacêutica e radioativa.

– Ele nos chamou de abestalhados – o substituto lhe disse sorridente. – Não nos apresentaram. Meu nome é Paco Leveder, e o senhor deve ser Sherlock Holmes.

– Ele mesmo.

– Percebeu? Ele nos chamou de abestalhados. O Cerdán sempre foi assim. Viveu dando notas para as pessoas de acordo com o que sabiam da lição que ele mesmo explicava. Faz anos que me deu um nove. Mas agora estou suspenso. Quer vê-lo? Me siga.

Cerdán viu chegar Leveder seguido por Carvalho e pôs os óculos para não ficar em inferioridade de condições.

– Sixto, que legal que você é, segue pregando o fim do mundo. Você insiste tanto que mais dia menos dia vai acertar.

Cerdán não respondeu para Leveder, mas estendeu a mão em busca da de Carvalho.

– Vinte e tantos anos depois.

– Ah! Mas vocês dois já se conheciam? Estou me sentindo enganado.

– Você tem alma do que é, Paco, um professor de Direito Político.

– Já li os insultos que nos faz no libelo esse. Você nos acusa de sermos os intelectuais orgânicos de uma direção entreguista. Sixto, você exagera, pois nos conhecemos faz anos e como inspetor político não há quem lhe ganhe. Tinha de consultar você até sobre os adjetivos dos panfletos.

Mas Cerdán parecia mais interessado pelo discurso mudo que saía dos olhos de Carvalho do que pelo discurso provocador de Leveder.

– Que é da sua vida?

– Sou um dos abestalhados que vivem na barulhenta esterqueira química, farmacêutica e radioativa.

– Há dois tipos de abestalhados: os comovidos pelo espetáculo e os que o promovem.

– Não o promovo.

– Não se exalte com este senhor que não é desta guerra, Sixto! Viemos pedir a bênção e já vamos.

Cerdán começava a se incomodar. Por outro lado, ao seu redor ciscavam as migalhas do seu saber jovens pálidos, com braços arqueados para sempre por um prematuro e imprudente carregar de livros.

– Nos vemos depois.

– Nos vemos.

– Eu também?

— Se não tem outro remédio.

Leveder empurrou Carvalho até o que restava do austero coquetel, condizente com os tempos de crise. Os pedacinhos de *tortilla* de batata desapareciam ao compasso de uma tenaz dança de palitos, diria-se que movidos pela metade da população chinesa.

— O Cerdán de sempre — alguém disse.

— Ainda mais pessimista — comentou outro.

— Mas ele sofreu com o caso do Garrido.

— Por que não iria sofrer?

— Eu às vezes digo: que esse cara pense, e nós, os demais, vamos nos dedicar a plantar repolhos.

— Ouviu?

Leveder estava zombeteiramente preocupado.

— Não é a primeira vez que ouço isso. O Cerdán produz essas impressões. É um sedutor verbal. Domina a magia das palavras e faz com que elas venham de um reino cuja chave sempre está e sempre estará no seu bolso. É um grande xamã, um grande bruxo dono da medicina da realidade e do espírito. No começo eu o adorava, era um dos *dacoits* de Fu Manchu. Depois o odiei. Agora me diverte. Toda cultura merece um Savonarola.* O Cerdán é o Savonarola do comunismo espanhol. Mas ele está exagerando, haja paciência. Passa o dia chorando diante do muro das lamentações e agora deu para falar da salvação dos repolhos. Concordo que Madri é irrespirável, mas isso do esterqueiro é muito forte. E ainda mais essa de nos chamar de abestalhados. Não é uma denominação simbólica, é uma crença. Ele tem o dom de provocar a expectativa pela nota. Lembro que todos andávamos ao seu redor para que nos olhasse e nos avaliasse. Se o Cerdán não o olhava, *kaput*, algo

---

* Célebre pregador dominicano que foi acusado de heresia e queimado vivo em 1498. (N.T.)

devia estar mal no coeficiente. Lembro a ilusão que senti no dia em que ele me colocou à sua direita e disse: "Este jovem tem um grande talento analítico." Para ele, havia gente que tinha talento analítico e gente que tinha talento sintético. Anos depois ele comentou comigo: "Fulano de tal tem um grande talento analítico, sicrano, em troca, tem um grande talento sintético". E, para mim, aqueles dois pareciam dois solenes estúpidos.

Alto, quase ruivo no cabelo que lhe restava e na barbinha recortada como um bordado sublinhando um rosto largo, Leveder bebeu três *chinchones** secos em dois minutos:

– É preciso matar a úlcera. Vamos ver se jantamos com o Cerdán. Ele tem interesse. Tem vontade de arrancar alguma informação depois do que aconteceu com o Garrido. Vou maltratá-lo. Também deve ter interesse em conversar com o senhor. Conheciam-se muito?

– Muito.

– Isso é mau. Quando se conhece muito o Cerdán, se fica imune a qualquer proposta religiosa. Estou escrevendo um ensaio impublicável no qual relaciono as atitudes de Cerdán com as de Bernard-Henri Lévy em *O testamento de Deus*. Sabe de quem estou falando?

– Não tive o prazer.

– Um filósofo francês, o mais "chique" do momento. Ao lado dele, Cerdán é um pavão.

– Sou um modesto e inculto detetive privado, mas não diga isso a Cerdán. Quero ouvi-lo falar.

– Poderia prendê-lo. O senhor está capacitado para deter pessoas? Olhe, aqui está a garota mais bela da burocracia comunista ocidental.

---

* Bebida à base de anis fabricada num município de mesmo nome localizado na província de Madri. (N.T.)

Carmela aproximava-se. Fingiu não conhecer Carvalho. Leveder fez as apresentações. Carmela apresentou Júlio. Leveder prestou atenção nas queixas assalariadas feitas por Júlio e Carmela. Na assembleia de profissionais do partido não se tinha levado em consideração o que se leva em consideração em qualquer empresa.

– Com a história do trabalho militante, nos exploram.

– Vocês da direção deveriam ficar do nosso lado, porque os velhos têm uma mentalidade dos anos 40, quando se tinha que pagar para ser fuzilado, uma sacanagem.

– Por exemplo, nos dão quinze dias de férias quando nos casamos. E se alguém se amarra para toda a vida ou para parte de toda a vida, e daí? Não tem férias? O casamento legal é privilegiado? Que moral comunista é essa?

– Com o tanto que você se amarra, Carmela, estaria sempre de férias.

– Acontece é que você é como eles e, antes de enfrentar o Santos ou o Mir ou o Poncela, é capaz de virar a cara para nós.

– Mas eu sempre enfrento eles.

– Mas por questões sérias, ideológicas. Não por nós, a base fodida.

– Os limpa-botas.

Leveder ia tomando o décimo *chinchón* e Carvalho deduziu que o *chinchón* produzia nele o efeito de um amido interior, porque o professor aumentava a sua rigidez em alguns momentos.

– Convido vocês para jantar. Todos. Jantaremos todos com o Cerdán e explicaremos para ele os problemas dos comunistas que realmente existem, não os que ele inventa na proveta. Cerdán!

O apelo de Leveder atraiu Cerdán para que não seguisse lhe colocando em evidência. Leveder apresentou a ele Júlio e Carmela, caracterizando-os como membros da base fodida, abestalhados sobreviventes da barulhenta esterqueira.

– Cerdán, convidamos você para jantar no Gades em troca de que nos explique se na KGB contam os quinquênios nas pensões das viúvas.

Leveder não escondia a sua vontade de tornar público o seu discurso, nem Cerdán a de fazê-lo sair da livraria para impedir que continuasse. Leveder já ia bebendo o *chinchón* número treze, entre especulações de por que a KGB escolhia como agentes personagens tão contraditórios como Sixto Cerdán e Paco Leveder. Carvalho, Carmela e Júlio saíram atrás de Cerdán, que segurava Leveder pelo braço. Uma garota com a metade do rosto coberto por um cabelo crespo queixou-se de que Cerdán ficara lhe devendo a bibliografia.

– Venha jantar conosco – propôs Carvalho sem tirar os olhos do nascimento de um mórbido vale entre os peitos, insinuado no vértice do decote da blusa.

– Não queria incomodar.

– Não incomoda. Gostamos de ver caras novas.

– Eu conheço Leveder; fui às suas aulas como ouvinte.

– Então é como se você fosse da família – disse Júlio, pegando-a pelo braço.

– Preciso de seis cafés e estes dois dedos – Leveder avisou quando o *maître* do restaurante Gades acomodou-os. Caminhou até o lavabo sem tirar os olhos dos dois dedos que iam lhe prestar tão misterioso serviço. Cerdán sorriu em busca da cumplicidade de Carvalho e apressou-se em completar a bibliografia que a convidada lhe suplicava: "Antes que comecemos a jantar, beber e tudo isso". Carvalho aproveitou o aparte cultural para contemplar à vontade a recém-chegada, entre castanha e ruiva, olhos castanho-claros, lábios carnudos mais que carnudos, uma escarpa de sombra entre seus seios debruçados no vértice de uma blusa de lã verde, estrutura óssea de mulher germânica adoçada por três ou quatro gerações latino-americanas, inclusive, talvez algum traço indígena no corte dos olhos rasgados. Júlio brincava com Carmela:

– Sabe, não sou completamente ignorante. Estou fazendo uma tradução de Lenin para a língua dos folgados. Vamos, diga algo de Lenin e eu vou traduzir para você.

– Mas não sei nada de Lenin, garoto, sou da base fodida.

– Alguma coisa você deve saber.

– Vamos ver: explique a ditadura do proletariado em sua língua.

– Os comunas se amarram em fazer os gulosos capitalistas engolirem sapos até darem no pé do enredo das ideologias. O povão vai dominar essa corja. Mas isso é barbada. Vamos ver o senhor, camarada Cerdán.

– Não me chame de senhor. Não somos camaradas, infelizmente, mas não me chame de senhor.

– É que não trato os intelectuais com intimidade. Se for tão amável e me permitir um aparte, diga algo de Lenin que eu vou traduzir para um idioma que conheço.

– Algo de Lenin? – Cerdán procurava na memória e parecia que seu maquinário cerebral fazia barulho. – Por exemplo, uma das teses de abril: ruptura aberta com o governo provisório preconizando a transferência de todo o poder governamental aos sovietes.

Cerdán voltou à sua bibliografia, e Júlio aplicou a tradução simultânea com o coro da risada sem limites de Carmela:

– É preciso sacanear os vacilões, tacando o lance numa boa pros comunas, também chamados de vermelhos, esquerdistas ou comedores de criancinhas.

– Vamos ver como fica com comedor de criancinha.

– É preciso sacanear os vacilões, tacando o lance numa boa pros comunas, também chamados de vermelhos.

Cerdán foi consultado:

– E isso, o que é?

– O idioma da minha tribo, os leninistas-folgados.

A latino-americana ria, e Cerdán acreditou ter o dever estético de amontoar as minguadas bochechas para ver se o movimento muscular lhe provocava a risada.

– Qual obra de Lenin o senhor me aconselha a traduzir?

– Me chame de você, garoto. Poderia traduzir *Que fazer?*

– Já tenho o título: *Como arrumar o bagulho?*

Leveder apareceu em seguida em sua cadeira, esvaziado pelo vômito e em condições de assumir a situação:

– Estou disposto. Pergunte. Sei tudo.

Cerdán mandou-o ficar quieto para seguir com a bibliografia.

– Você está orientando uma tese?

A bibliografia chegou ao fim.

– Pronto – disse a garota, muito contente, guardando o caderninho numa bolsa.

Cerdán nem olhou o cardápio.

– Qualquer coisa. Espaguete, eu acho – acrescentou.

– *Spaghetti alla maricona arrabiata* – pediu Leveder.

– Não temos esse.

– Peço em todos os restaurantes e nunca tem. Se você acha que vou contar quem matou o Garrido, você é um cara de pau.

Cerdán explodiu:

– Se você acha que estou disposto a tolerar a sua incontinência mental, está enganado. Você tem idade suficiente para controlar o esfíncter. Como dizia Pavese, todo homem a partir dos quarenta anos é responsável por seu descaramento.

Os demais duvidaram se isso era dito a sério ou de brincadeira, mas optaram pela dúvida expectante enquanto Leveder, como receptor da mensagem, definia-se:

– Você me convenceu – respondeu, e Carmela teve que virar a cabeça para que Cerdán não a visse rir.

Cerdán deu por impossível a conversa com Leveder e outorgou seus favores a Carvalho.

– Quanto tempo! Que é da sua vida? Universidade? Editoras?

– Importação e exportação de alcaparras e figos secos – intrometeu-se Leveder.

Não pareceu ser ouvido. Carvalho falava vagamente de negócios, Cerdán procurava num ponto exato da toalha onde havia ficado interrompida a conversa de 22 ou 23 anos antes. Deve ter encontrado, porque olhou firmemente para Carvalho e quis perguntar algo que não podia lhe perguntar:

– Saiu tudo bem?

– Uns dois anos e fui pra rua.

– O meu lado foi muito duro.

– Estava escrito.

Cerdán ignorou a leve ironia de Carvalho e voltou para o *front* de Leveder.

– Preciso dizer que a sua homilia desta noite me pareceu uma merda, uma porcaria.

– Se você seguir assim, vou ter que ir embora.

– Foi uma homilia de abutre, alimentando-se da carniça humana de Garrido e da carniça da política em geral. Tim-tim.

Ninguém acompanhou o brinde de Leveder. Os olhos preferiram passar em revista o povoado estabelecimento. Cada um ficou em sua ilha. Até Júlio ficou ensimesmado, e Carmela procurou na bolsa algo que não estava disposta a encontrar. Leveder surpreendeu ao perguntar a Cerdán se o seu trabalho sobre socialismo e burocracia estava adiantado. Não tanto como gostaria. E, a partir desse ponto, Leveder e Cerdán fizeram confidências sobre problemas da docência, das traduções, do tempo para contemplar, viajar ou não fazer nada. Era uma conversa entre modistas do espírito sobre a qualidade dos tecidos mais apropriados ao inevitável retorno da minissaia. Tranquilamente, passaram para o assunto Garrido. Como está a Luisa? Imagine só. Carvalho descobriu de repente que na vida de Garrido havia uma Luisa, como deveria haver na vida de Cerdán. Uma Luisa. Filhos. Questões domésticas. Pequenas dores cotidianas do espírito, nunca sufocadas o suficiente pelos grandes álibis.

– A última vez que o vi foi durante uma reunião fracassada para montar uma passeata até Torrejón contra as bases americanas. O Garrido queria dar o característico ar consensual. "Juntos, mas não misturados", eu disse a ele. "Cada um com as suas palavras de ordem." Não deu certo. Tivemos uma conversa muito sincera. Ele me disse: "Eu invejo você. Pode agir como se a História acabasse de começar". Esse é em grande parte o drama dos partidos operários tradicionais. A sua lógica interna é privilegiada e os separa da realidade.

Leveder não opunha resistência. Tinha a ideologia triste aquela noite e não se importava que Cerdán se alçasse ao monólogo. Dizia que não com a cabeça ou ia ao encontro do espaguete com a suavidade de um comensal bem-educado. Carmela e Júlio escutavam

Cerdán fascinados, como se pela primeira vez estivessem na plateia do teatro da inteligência. Até Carvalho sentiu-se entregue à reza de tristes evidências que saía dos lábios de Cerdán. Como quem foge do seu próprio sonho, Carvalho pestanejou e foi até o balcão. Tinha sede de chope.

– Meu nome é Gladys e concordo muito com o que você não disse. Os outros falavam, e você calava.
 – Argentina, chilena, uruguaia?
 – E por que não colombiana, peruana ou de Porto Rico?
 – Cada um tem os seus gostos sobre exilados.
 Riu jogando a cabeça para trás, como Rita Hayworth em *Gilda*, e mostrou um pescoço apenas marcado por suaves anéis de serpente jovem. Pôs com suavidade outra vez a mão sobre o braço de Carvalho, como se lhe servisse como ponto de apoio para recuperar a serenidade.
 – A verdade é que me perco. No meu país estava muito acostumada com toda esta confusão. Passamos anos e anos nos enrolando sobre a transição para o socialismo ou seja lá o que for. E enquanto isso os milicos iam afiando as baionetas. Sou chilena. E não pense que me limitei a olhar as coisas de longe. Estive na primeira fileira, no Trem da Liberdade que percorria o Chile de cima a baixo com mensagens de cultura e comunismo. Mas eles tinham os aviões.
 Dava tristes voltas num copo que também havia ficado triste, como se os cubinhos de gelo fossem o resultado de seus olhos pessimistas. Carvalho apoiou as costas contra o balcão, com os cotovelos sobre o mostrador, de frente para o salão, para a mesa onde Leveder, Júlio,

Cerdán e Carmela seguiam afinando os instrumentos de uma orquestra impossível.

— Precisa de uma aspirina?

A chilena abriu os olhos para fingir mais surpresa do que o normal:

— Uma aspirina?

— Tenho um amigo, ou tinha um amigo, que flertava assim. Aproximava-se de uma garota e dizia: "Senhorita, precisa de uma aspirina?".

— E dava certo?

— Sempre.

— E com você?

— Você vai dizer.

— Vamos deixá-los? Você não se interessa por seus discursos sobre a História?

— Já tive bastante história por hoje. Desde que cheguei nesta cidade parece que estou vivendo dentro de um livro escrito por um sociólogo ou qualquer demente desse tipo.

— Você odeia os sociólogos?

— Entre outros.

— Eu sou um deles.

— Vou tentar esquecer.

Carvalho começou a andar até a porta. Gladys seguiu-o, pedindo que parasse:

— Não vai se despedir? Como você é!

— Não precisam de nós.

Mas voltou-se e viu que Carmela cuidava o seu movimento. Com olhos imensos e negros cheios de malícia. Carvalho se fez de desentendido e empurrou Gladys até a saída.

— Convido você para um passeio pelo bairro velho.

— Madri está cheia de bairros velhos.

— Pela Plaza Mayor.

Carvalho deu de ombros. Parou um táxi bêbado de óleo combustível, espasmódico. O taxista tinha que baixar o cachecol para falar. Desculpou-se:

– É que me arrancaram um dente e estou grogue.

Gladys começou a rir sem controle.

– De que você está rindo?

– Da aspirina.

Carvalho colocou uma mão sobre o ombro dela como para conter a sua risada e apontou para o taxista:

– Ele vai pensar que estamos rindo dele.

– Senhor. Não estou rindo do senhor. É que nos aconteceu uma coisa muito engraçada.

– Por mim podem rir até do Tierno Galván. A democracia existe para isso.

Deixou-os em frente ao Arco de Cuchilleros. Penetraram na Plaza Mayor como se estivessem diante do Papa. Palmas e sons roucos de violão subiam dos subsolos cheios de turismo de inverno. Estavam praticamente sozinhos na praça iluminada pelos postes, sem outra testemunha que a estátua equestre de Felipe IV.

– Parecemos um casal de turistas americanos passeando por qualquer praça de Roma num filme dos anos 50.

– Nesse tempo eu era muito pequena.

– Eu não.

Ao andar, seus ombros se encostavam. Do casaco de lã marfim saía um profundo calor de mulher perfumada. Os cachos de um leve permanente caíam sobre suas costas, e ela os movia ao falar, como se fossem bolhas de sabão ou sininhos que imitam o som dos pássaros e que brilhavam mais que a luz amarelada da praça. Sacadas e janelas pareciam encerrar a sua própria memória mais do que se abrir a um tempo que não lhes pertencia, e Carvalho lembrou-se de seus passeios de jovem conspirador com pouco dinheiro, ou de seus encontros sob os pórticos, geralmente junto à porta de uma secretaria municipal, também dedicada à Secretaria de Turismo, em cuja vitrine sempre estava *A cozinha de Madri*, de Entrambasaguas.

– Quero ir ali ver uma coisa.

O livro estava lá, como no final dos anos 50, e parecia ser o mesmo, como pareciam os mesmos os seus acompanhantes naquele conjunto de *madrilenismo* subcultural.

– Você pesquisa para andar pela cidade?

– Estava lembrando coisas. Faz anos, passei muitas vezes por esta vitrine e era obrigado a ler títulos de livros que não me interessavam nem um pouco. Agora me interesso por este.

– O de culinária?

– O de culinária.

– Até tu, Brutus?

– O que você quer dizer?

– Todos os progressistas* desta cidade cozinham. Convidam uns aos outros para provar as comidas. E eles fazem tudo sozinhos, os homenzinhos. Parecem apaixonados. Dizem que estão recuperando os sinais da identidade. Até pararam de se divorciar para começar a cozinhar.

– Você conhece muita gente?

– Conheço. Tenho que circular. As coisas não foram fáceis. Aqui a esquerda nos prestou uma solidariedade muito sincera, mas com muito pouco dinheiro.

Alguns estrangeiros bêbados desembocaram na praça, cantando "Viva a Espanha!". Gladys e Carvalho sentiram-se expulsos da praça sem que ninguém lhes dissesse nada. Saíram na Rua Mayor, enfiaram-se pelas ruelas que levavam até a Ópera e a Plaza de Oriente.

---

* Na Espanha das décadas de 1970 e 1980, eram chamados de progressistas jovens de classe média e média alta com ideias de esquerda. (N.T.)

Ouviam-se seus passos entre gradeados delicados que pareciam desenhados sobre as fachadas brancas e os marrons intensos das cornijas e postigos.

– O silêncio cai bem depois de tantas palavras.

Carvalho concordou e pôs um braço sobre os ombros dela. Ela atirou a cabeça para trás, como para aprisionar o braço em sua nuca.

– Por que você me escolheu? Poderia ter saído com Cerdán ou Leveder ou qualquer outro.

– O Leveder eu já conheço bem, e com o Cerdán só iria a um seminário sobre alguma xaropada do espírito. Você estava quieto. Gosto dos homens que calam.

– Sempre espero encontrar uma mulher que goste dos homens calados. Por isso estou sempre quieto.

– Você é perverso.

– Além disso, estou numa cidade nova, e as cidades novas prometem aventura.

– *Sei que sou*
uma aventura a mais para ti
e depois desta noite
te esquecerás de mim

– Los Panchos.

– Eu não conheci com Los Panchos. Como você é velho.

À contraluz, Gladys oferecia um perfil quase clássico, somente traído pelo nariz excessivamente fino. Carvalho passou o dedo por sua testa, nariz, lábios, queixo. Voltou aos lábios que estavam quentes e úmidos. Gladys abriu-os suavemente para aprisionar o dedo, sorveu o dedo, colocou-o entre os dentes e mordeu:

– Não corra tanto, forasteiro!

Ela havia corrido uns metros e dali se virava para comprovar a surpresa de Carvalho. Voltou a caminhar ao seu lado, deixaram a Ópera para trás para sair na

Plaza de Oriente. Para Carvalho, parecia impossível que os gritos de "Franco, Franco, Franco" pudessem ter contaminado aquele prodígio do recolhimento histórico, urbano, protegido pelo tapume de cartão-pedra do palácio, com os campos vislumbrados ao fundo, em sua grandeza de pretextos para dar volume aos corpos de Goya ou de Bayeu.

– É o lugar mais antifascista do mundo. As manifestações aqui deveriam acontecer com sombrinha. Deveria ser obrigatório vir com sombrinha.

Sentaram-se num banco, e ela explicou como havia saído do Chile graças à embaixada da Espanha. Ele disse a ela que era consultor de uma editora de Barcelona e estava em Madri de passagem.

– De qual editora?
– Da Bruguera.

Gladys o acompanhou até a porta do hotel. Leu nos olhos de Carvalho um convite para subir.

– Hoje, não. Posso ver você amanhã?
– Vou ter um dia agitado.
– Eu também. Bem tarde. Às onze, no Oliver.

Recuperou a pasta na recepção do hotel. Vagou pelo quarto sem vontade de trabalhar, juntando cacos das lembranças compartilhadas com Cerdán, recém-saídas de um baú esquecido. Uma conversa sobre o trânsito da quantidade à qualidade, a propósito de um livro de Sartre. Procuraria por ele implacavelmente pelas estantes até encontrá-lo e queimá-lo. Quando voltasse a Barcelona. Os preparativos de greves nacionais pacíficas de 24 horas. Aquele trabalho sobre o esquematismo, o dogmatismo e o cesarismo que Cerdán o aconselhou a não entregar à direção. Dias inteiros, noites, madrugadas de questionamento da vida e da História sob os altos pinheiros do jardim da vila onde os pais de Cerdán veraneavam. Estou lendo Jung. Não é marxista. É um discípulo de Freud, informou Cerdán com certa insegurança na voz. Logo Cerdán transformado num constante exemplo oferecido como alternativa à progressiva apatia de Carvalho, aquela apatia carcerária cheia de pardaizinhos feridos e veadinhos mongoloides, epiléticos autênticos ou falsificados, foragidos ensimesmados como pistoleiros do *Far West* vencidos sempre, e longe, muito longe, em outra prisão, sob outro céu, sem dúvida mais duro, o exemplar Cerdán com os seus seminários educativos da classe trabalhadora, a sua ginástica, o seu David Ricardo, o seu trabalho partidário. Você já faz trabalho partidário?, perguntavam os jovens dirigentes espirituais que conseguiam burlar o filtro das comunicações, especialmente Gabardinetti, aquele dublê de espadachim de Hollywood que acabaria seus dias flertando com suecas na Austrália ou com australianas na Suécia, escandalizado agora, ali, a meio quilômetro das grades, porque Carvalho não pratica, porque Carvalho perde tempo seguindo o voo dos gaviões até o oeste ou ouvindo a história de Juanillo, esfaqueador de xoxotas. Você faz trabalho político? Gabardinetti, vai tomar no rabo, Gabardinetti, a greve nacional pacífica de 24 horas não vai ser seguida nesta prisão, não a propagarei para o velhinho que besuntava a pica com leite condensado para que as crianças o chupassem, nem ao sogro que matou o genro porque batia na filha com a tábua de passar roupa. Com a tábua de passar roupa? Tem certeza, vovô? Vai tomar no rabo, Gabardinetti, você teria que seguir o exemplo de Cerdán, montou uma célula de tradutores em Toledo. Em Toledo? Não, em

Burgos; se é comunista estando onde estiver, assegura Gabardinetti antes de sair para férias em Lloret de Mar, a fé do camarada Carvalho fraqueja, não repassa os informes políticos, nem nos disse nada que o Vesgo é atraído pela vaca ou pela porca cada vez que vai à granja penitenciária, a vaca e a porca se regenerarão durante as 24 horas em que for proclamada a greve nacional pacífica de 24 horas. Que jovens e imbecis todos nós éramos, Gabardinetti, Cerdán, que tolos e como os gestos fundamentais de então são os gestos fundamentais de agora. Do êxtase do teto às entranhas brancas da pasta. Mapas. Nomes. Números, declarações. Inventário dos objetos encontrados no cadáver de Fernando Garrido. Relógio de ouro com uma dedicatória de Kim Il-sung, pacote de tabaco, carteira com três mil pesetas, carteira de identidade, carteira do partido, um cartão-postal de Oriana Fallaci, lenço de bolso, uma chavezinha, uma ordem do dia, folhas de tabaco, um isqueiro, uma agenda. Quando o casal Lafargue se suicidou, Lenin escreveu: "Se alguém já não tem a força necessária para trabalhar no partido, deve ter o valor de olhar a realidade frente a frente e morrer como os Lafargue". Santos Pacheco, ó, velho chefe índio, homem branco matar Águia Negra. Carvalho fez um mapa da sala, distribuiu os nomes nas cadeiras segundo figuravam nas indicações que tinham lhe dado, nomes, idades, distâncias, passeou pelo quarto em diferentes velocidades. Na velocidade do ódio? Do ressentimento? A transcrição da gravação:

– *Vamos acabar logo porque vocês sabem que não posso ficar sem fumar.*
– *Ha, ha, ha.*
– *Ora. Era o que faltava. Os chumbos se derreteram.*

– Os fusíveis, ignorante.
– Esses comandos operários, sempre em greve.
– Ha, ha, ha.
– Lanterninha! Alguém vá ver isso.
Um barulho de terremoto próximo.
Suspiros de alívio.
E logo um silêncio crescente.
– Fernando, Fernando! (É a voz de Santos.)
E a Torre de Babel.

A perplexidade de Carvalho foi prevista por Santos Pacheco: "Não se surpreenda com uma gravação que prossegue apesar da falta de luz. O gravador central não funcionou, mas utilizamos um pequeno, a pilha, para o caso de haver problemas, pelo menos durante o informe político e as considerações dos camaradas sobre o informe político". José Martialay Martín. Operário da construção. Responsável pelo *Movimento Operário*: "Era uma reunião normal, sem um grande tema predominante. Garrido estava como sempre, eu estava como sempre. Não percebi nada até que a luz voltou, isso que eu estava sentado à direita de Fernando". Prudencio Solchaga Rozas. Mineiro de Almadén. "Agora parece que tudo durou muito, mas só foram alguns segundos. Garrido estava fumando, e essa era toda a luz que havia. Agora lembro que de repente até essa luz desapareceu; foi, sem dúvida, quando Fernando caiu sobre a mesa. Não podia ver nada, nem ouvi nada em especial. As pessoas falavam e caçoavam da situação. Quem iria imaginar o que estava acontecendo?" A luz emitida por Fernando Garrido aparecia em sete declarações. "Vamos acabar logo porque vocês sabem que não posso ficar sem fumar." Ou Garrido violou o seu próprio código ou sete membros do Comitê Central haviam se sugestionado e imaginaram um cigarro em seus lábios. Eram seis da manhã. Clareava. Muito cedo para tirar Santos Pacheco da cama e lhe perguntar: "Garrido estava fumando quando a reunião começou?". Luis de la Mata Requeséns. Dentista de Requena (Valência): "Havia outro médico na sala, mais preparado para o que havia ocorrido, o camarada Valdivieso, internista de La Paz e especialista em cirurgia cardíaca. Mas o diagnóstico foi imediato e fácil. Uma punhalada certeira. Limpa, direta no coração. A morte foi instantânea. Sem dúvida a punhalada de um especialista, sobretudo levando em conta as condições de escuridão em que a desferiu e a dificuldade em dar uma facada de frente com uma mesa no meio. O assassino deve ter olhos de gato. Há pessoas que se movimentam na escuridão com mais desenvoltura que outras, mas isso é tudo, é uma diferença mínima". Ezequiel Hernández Amado. Sacerdote: "A primeira coisa que pensei foi em lhe dar a absolvição e fiz isso em voz muito baixinha, não porque temesse a reação de algum companheiro, isso não, porque o fato de eu e de muitos outros termos fé está perfeitamente assimilado por meus camaradas que se declaram ateus, mas porque acredito na absolvição como um ato íntimo entre três entes: o sacerdote, o pecador e Deus. Disse o *ego te absolvo a peccatis tuis* com a crença total de que Fernando Garrido tinha poucos pecados para serem perdoados; quem dedicou toda a vida para lutar pela dignidade humana tem um crédito celestial sem limite, tenho certeza. Talvez minha deformação profissional tenha me pregado uma peça, e a absolvição e a reza me impediram de prestar atenção em outras coisas; naquele momento isso me pareceu mais urgente; cada um é cada um, é preciso haver de tudo na vinha do Senhor". Carvalho selecionou as notas que tomara. Transformou-as em perguntas. Depois selecionou as perguntas. Tentou dormir, mesmo que fosse só por meia hora. Mas viu gente na rua quando foi fechar as cortinas e acreditou sentir cheiro de churros, ouvir o tilintar das xícaras de café sobre os pires. Tomou um banho.

SILHUETAS DE CHUMBO sobre os terraços da Carrera de San Jerónimo, Fernanflor, Marqués de Cubas, Plaza de Cánovas. Como se toda a polícia da Espanha estivesse dando voltas ou concentrada naquele cruzamento de Madri, formava um cordão marrom que delimitava como um festão a zona da homenagem popular. Um verdadeiro cerco armado reconstruía um trapézio com a base no Paseo del Prado, as laterais em Atocha e Alcalá e o teto em Espoz y Mina e na Puerta del Sol. Em cada cruzamento de ruas importantes, um jipe, em cada pracinha, um furgão enredado repleto de vultos marrons com as armas engatilhadas. E no céu o voo de um helicóptero como um pássaro de mau agouro. Garrido saiu das Cortes sobre os ombros dos membros do Comitê Executivo do Partido Comunista da Espanha e, aparentemente, os aplausos foram contidos por um imperativo "shh" nascido do mais profundo da multidão.

– Viva o Partido Comunista da Espanha! – gritou a voz rasgada de uma mulher, e um viva flamejante abrasou as fachadas e fez vacilar as silhuetas de chumbo dos policiais dos terraços.

Depois, um silêncio para o *flash* histórico enquanto se posicionavam para a foto da presidência do partido, a familiar e a oficial. À frente da foto do partido, Santos com a cabeça inclinada para abrigar o ardor das lágrimas. Na oficial, o chefe de governo com a representação do Rei, o capitão-general da Primeira Região Militar, o presidente das Cortes, três ministros e o presidente do Tribunal Constitucional. Com bandeiras de seus países nas mãos, os secretários-gerais dos partidos comunistas da Itália, de Portugal, da França, do Japão, da Romênia e delegações de todos os países com mais de cinco comunistas no censo. Além dos secretários-gerais dos partidos socialistas da Itália, da França, de Portugal e da Grécia e representantes da Frente Sandinista e do PRI. Atrás deles, uma moraina lenta de glaciar vermelho. Bandeiras vermelhas contra o céu dificilmente azul daquela manhã de outubro, lenços vermelhos nos bolsos dos paletós, nas mãos. Pareciam vermelhos também os punhos que se alçavam e baixavam com vontade de martelos, com precisão de êmbolos.

*De pé, vítimas da fome,
de pé, famélicos da terra...*

Começou com uma voz agridoce de mulher, logo se pôs a cantar a longa e larga cabeleira vermelha que seguia o féretro. Na Plaza de Cánovas, o canto foi-se distanciando até a fila da multidão, porque a Banda Municipal de Madri recebeu a cabeça do enterro com a "Marcha real", lenta, como costuma ser interpretada nos funerais de um jovem e pálido príncipe tuberculoso. E, depois da tolerância inicial, os barítonos comunistas gritaram mais do que cantaram "A Internacional", com os pescoços rígidos e a divisão de opiniões entre o respeito tático ao hino real e a necessidade emocional de "A Internacional". Tierno Galván, prefeito de Madri, concluiu o pleito subindo na tribuna e pronunciando uma oração fúnebre breve e lenta:

– No enterro de um homem que não era religioso não há melhor oração que o respeito a seu heroísmo por se negar a si mesmo o consolo da ressurreição. Em Fernando Garrido, vida e história são a mesma coisa. Desde que nasceu, acreditou que a esperança de cada homem somente se realiza com a emancipação coletiva e tornou-se revolucionário porque acreditava no homem. Não há identidade mais insolúvel, mais ética que a estabelecida entre socialismo e humanismo. O socialismo retirou a ética dos filósofos e a deu à classe operária, como Prometeu roubou o fogo dos deuses para dá-lo aos homens. A história de Fernando Garrido vocês todos conhecem e, sobretudo, a sabem os que são conscientes da sua própria história e do papel que nela jogou a luta contra o fascismo e pela liberdade. Eu saúdo o velho amigo, o velho companheiro em horas propícias à desesperança nas quais nunca se desesperou. Era um homem forte, filho de um povo forte, de uma classe social forte. Nunca pude chamá-lo de camarada, mas sempre soube que éramos camaradas e que as táticas e as estratégias jamais nos separariam totalmente. Ele adivinhou que num futuro já não tão distante comunistas e socialistas estão condenados a construir o socialismo com a liberdade e a garantir a liberdade com o socialismo. A vocês, comunistas, ele os colocou no caminho dessa evidência. A nós, socialistas, nos mostrou o final de um caminho ainda longo. Alguém disse que a luta final será entre comunistas e ex-comunistas. Eu digo a vocês que não haverá luta final porque exemplos como o de Fernando Garrido dão pleno sentido à "Internacional" como canto e espírito unitário. Não chorem por sua morte. Abracem seu exemplo.

 De novo, os aplausos tentaram falsificar o ato, mas pedidos de silêncio e soluços os abafaram. Santos subiu na tribuna e ficou olhando a multidão. "Camaradas!", disse e ficou mudo, como se de repente tivesse descoberto que Garrido havia morrido e a angústia se transformasse numa bola de ausência em sua garganta. "Camaradas", voltou a repetir com a voz patinando pela amargura. Então baixou a cabeça e levantou o punho para que um bosque de punhos estaqueasse o âmbito nobre da praça, diante da observação serena, perplexa das estátuas dispostas junto às grades do Museu do Prado. Santos afastou-se para dar lugar ao último orador.

Rafael Alberti subiu à tribuna com as pernas lentas e o corpo rápido, o ar senhorial e o desplante do rosto conservado na calda de uma cabeleira branca e lisa de poeta bruxo:

> *Fernando Garrido treme*
> *a solidão treme a água*
> *treme de ira a gleba*
> *que há de salvar a Espanha*
> *a gleba que é classe operária*
> *com os punhos como bandeira*
> *vermelha vermelha vermelha*
> *como o sangue e a névoa*
> *que deixou de luto a oliveira*
> *e desordem nas ceifas*
> *desordem de entardecer*
> *em plena manhã aberta*
> *desordem de sombra mordida*
> *pelos cachorros da morte*
> *cachorros azuis ou negros*
> *o fascismo não combate*
> *mata às escuras, mata a golpes*
> *e da sua névoa renasce.*
>
> *Fernando Garrido eras*
> *condutor de coexistências*

a do rio com a água
a do fogo com a fogueira
e da voz com a ferramenta.

De céus futuros virão
arcanjos ou planetas
para ver na sua beleza
deste mundo construído
com tuas palavras de terra
Fernando Garrido morre
a morte vive a vida.
Morra a morte! Viva a vida!

"Morra a morte", fez coro a multidão enquanto crescia e se impunha: *Vocês, fascistas, são os terroristas*. As presidências se misturaram. Santos abraçava ministros e delegados estrangeiros. Deu um aperto de mão marcial no capitão-general de Madri. O serviço de segurança abria passagem para os carros que deveriam levar os restos de Fernando Garrido ao cemitério civil.

– Deixarão você passar. Diga a Santos que preciso falar com ele, se possível antes do fim do dia.

Carmela abriu caminho, cumprimentando uns e repreendendo outros.

Voltou em plena debandada das pessoas que iam pegar os ônibus e os carros habilitados pelo partido para ir até o cemitério civil.

– Ele disse que todas as tardes costuma passear pela Cidade Universitária. Às seis na porta da Filosofia e Letras. E mandou dizer para você não ficar aí, atônito.

Não pôde ficar surpreso por muito tempo. Uma explosão deslocou o ar como se fosse um oceano, e os corpos romperam em frenéticas fugas para não se sabe onde. Outra explosão ecoou vinda da estação de Atocha.

Carvalho puxou Carmela e começou a correr até a porta do Hotel Ritz e ali se viraram para contemplar como a multidão, que tinha se transformado em manada confusa, voltava a se recompor, tensa, obstinada, com os punhos ao alto. Cantavam "A Internacional".

Ouviam-se ambulâncias ao longe indo para a Puerta del Sol, onde uma bomba havia explodido, e para a estação de Atocha, onde havia dois mortos e doze feridos, diziam as pessoas no boca a boca.

– Não, não vou ao cemitério. Não me meto em assuntos íntimos da família.

– Vamos combinar de almoçar?

– Você sabe onde se pode comer um cozido em Madri?

– Saber, não sei, mas enquanto o enterro termina eu consulto o *Espasa* e me informo. Ficamos combinados para as duas?

– No meu hotel.

Teve de esquivar-se dos aglomerados de manifestantes para sair do espaço rodeado pelas forças de segurança e chegar à zona de circulação livre. Pegou um táxi e pediu que o levasse até a Rua Professor Waksman.

– Talvez a gente chegue antes da meia-noite, porque tem um engarrafamento do tamanho de um bonde. Assim não dá, assim não dá.

Os carros pareciam dirigidos por paralíticos ou detidos por uma estranha força que saía do asfalto acinzentado por um céu de feltro. O taxista sabia tudo o que se poderia saber sobre os atentados. Uma bombinha na repartição de passaportes da Puerta del Sol e uma bombona em Atocha.

– O senhor me entende, cavalheiro? Fui claro? Uma bombinha e uma bombona. Fui claro? É que assim não dá, assim não dá. Até as bombas estão assinadas.

Chegaram à Professor Waksman a ponto de começar a chover. Teve o tempo justo de localizar o portão e sentir nas costas as primeiras alfinetadas de uma chuva fria de outono.

– O senhor Jaime Siurell.

O porteiro uniformizado lhe informou o andar sem olhá-lo, enquanto coçava o saco com uma mão lentamente introduzida sob o uniforme. A porta foi aberta por uma velha senhora recém-moldada numa revista elegante norte-americana, nas páginas dedicadas a trajes para *cocktail party*.

– Diga a ele que sou um velho amigo dos Estados Unidos. Que quero falar com ele sobre James Wonderful.

Ela não retornou. Abriu-se a porta dupla pintada de creme e adornada com purpurina dourada para dar passagem a uma cadeira de rodas conduzida pelas grandes mãos de James Wonderful sobre as rodas. A musculatura vencida do rosto parecia condicionada pelos olhos abertos, oceânicos por trás das lentes dos óculos, babando o lábio inferior caído até o queixo, em concordância com a totalidade de um corpo que desmoronava da cabeça aos pés, abandonado mais que apoiado sobre o braço dianteiro da cadeira de rodas. Nada restava da ousadia física daquele cinquentão ginasta que ele conhecera vinte anos antes.

– Carvalho! – o lábio inferior conseguiu dizer com dificuldade, unido com esforço à musculatura da boca que parecia depreciá-lo.

Carvalho acreditou adivinhar um sorriso e uma névoa emocionada nos olhos de James Wonderful, ex--subdiretor-geral da Segunda República, instrutor de agentes da CIA, responsável pela América Latina nos tempos em que Carvalho havia sido destinado à "área de observação presidencial". O velho exilado sobrevivente de tanta ruína física e ideológica era um paralítico vencido por um mal obscuro que o pegara pelas costas. Estendeu as mãos para que Carvalho as apertasse.

– O quanto já nos odiamos.
– O suficiente.

A tentativa de sorrir descompôs ainda mais a descomposta geometria do rosto. Voltou a colocar as mãos sobre as rodas, manobrou a cadeira com destreza e retornou por onde viera, convidando Carvalho para segui-lo. Entraram numa sala espaçosa, cheia de móveis de bambu filipino com tecido floral e brilhante vegetação de interiores. Carvalho entregou-se às profundezas de um sofá descomunal e ficou por baixo da linha de flutuação do rosto caído de Wonderful. Os músculos daquele rosto moviam-se como peças enrijecidas de uma maquinaria precária cada vez que falava.

– Não soube nada de você em vinte anos.
– Tinha muito pouco para saber.
– Vivo aqui afastado de tudo e de todos. Eu me aposentei faz dez anos para escrever as minhas memórias. Você segue na Companhia?
– O senhor sabe muito bem que não.
– Sim. É verdade. Perguntei por perguntar. Suponho que não veio fazer uma visita. Os galegos sempre aproveitam o tempo. Você é galego, não?
– Mestiço.
– A herança genética existe, sobretudo nas células da sobrevivência. Sirva-se do que quiser. Eu não posso beber nada. Já viu. Um desastre. Aparentemente um desastre. Mas dentro do meu cérebro cabe toda a História do mundo. Como me localizou?

— Faz cinco anos, tive um encontro casual com o Olson em Barcelona. Falamos dos velhos tempos, do senhor. Ele me deu o seu endereço.

— O Olson. Esteve aqui faz tempo. Agora é granjeiro. Planta abacates em Málaga, acho. Um destino correto. A partir dos cinquenta anos não se serve para este trabalho. Você faz o quê?

— Detetive particular.

— Mora em Madri?

— Não.

— Veio a trabalho?

— Sim.

— Tenho a ver com o seu trabalho?

— Pode ser.

— E o que o faz pensar que posso ajudar você? Você pode me obrigar a ajudá-lo?

— Não.

— Nunca fui uma pessoa generosa. Por que iria ajudar você?

— Por vaidade, talvez. Para demonstrar que segue bem informado.

— Sou um inválido. O que um inválido pode saber? Em que você anda metido?

— Adivinhe.

— Não é difícil. Fernando Garrido — Carvalho fechou os olhos para concordar, mas mais ainda para deixar de estudar a expressão de Wonderful e captar o brilho de interesse que transbordava de seus olhos. — É um assunto extremo para mim. Não negarei que sei de algumas coisas. Mesmo que a verdade seja que eu deduzo mais do que sei. Tenho um bom conhecimento do método e da mecânica, e às vezes a distância posso ter uma visão quase perfeita do que aconteceu.

— Por isso vim procurar o senhor.

– Não sei nada deste caso. Estou tão surpreso como todos.

– Surpreso?

– Surpreso. Com essa palavra já lhe dou informação.

– Foi um assassinato inesperado para a Companhia?

– Falo por mim. Fazia tempo que algo grande era rifado, mas não era Garrido quem tinha todos os números da rifa.

– Quem os tinha?

– Martialay.

– A Companhia?

– Quem sabe. Talvez não diretamente. Não é como antes. Agora tudo se sofisticou muito.

– Por que o Martialay?

– O partido não preocupa. A central sindical, sim. As eleições sindicais estão próximas. Mas era difícil liquidar com o Martialay de forma escandalosa. O que se pode aprontar para um homem que faz ginástica em *skijama* às seis da manhã?

– Por que a troca de vítima?

– Não sei. Também não sei quem foi. Poucos devem saber. Você tem família?

– Não.

– Pena. A família serve um dia ou outro. Quem vai ajudar você a sair da cama e sentar-se na cadeira de rodas?

– Por que trocaram o Martialay pelo Garrido?

– Não abuse de uma amizade que nunca existiu. Tinha razão. Você me fez falar por vaidade, mas já a tenho o suficiente. Além do mais, de verdade, não posso acrescentar nada. Onde você mora?

– Em Barcelona.

– Pode me fazer um favor? Na hemeroteca municipal tem todas as coleções completas da imprensa de antes da guerra. Poderia me mandar algumas fotocópias de

L'Opinió? Descobri que não sei tudo o que deveria saber e tenho que me apressar para acabar minhas memórias. O título vai ser *Nunca chegarei a Ítaca*. Gosta do título?

– Se não foi a Companhia, quem foi?

– Ou talvez seria melhor: *Nunca voltarei a Ítaca*. O que acha? Às vezes me arrependo de não ter voltado a Barcelona, mas Madri me atraiu mais e tive medo de recuperar uma cidade que já não era feita para mim.

– Qual será o passo seguinte?

Wonderful abandonou a atitude expectante e voltou a ser um ancião paralítico, autista, desconectado da conversa imposta por Carvalho. Nem sequer olhava para o visitante, nem se poderia dizer que olhasse para coisa alguma que não estivesse dentro de si mesmo. Carvalho levantou-se disposto a sair da sala. Wonderful não reagiu até que Carvalho cruzasse a porta.

– Não acredito que dê frutos imediatos. Esse crime foi um investimento a longo prazo. Não sei, mas intuo isso. Nem sequer vão perder as eleições sindicais. Esse tipo de jogada é das mais temíveis. Cuide-se. Gostaria que alguém relacionado comigo naqueles anos sobrevivesse a mim. Cada morto leva uma parte da nossa imagem. Já pensou nisso?

– Quais fotocópias o senhor quer?

– Deixe. Dá no mesmo. Não escrevi nem uma linha. Nunca as escreverei.

– Na Gran Tasca servem cozido hoje. Graças a você estou sabendo de cada coisa. No partido já me tomam por louca. Sabem onde se pode comer um cozido? Hoje quem me disse foi o responsável pela organização do *Cuatro Caminos*. Eu estava interrogando habilmente o pessoal do *Mundo Obrero* quando ouvi este comentário ilustrado do camarada. Tem cozido hoje na Gran Tasca. Então vamos logo, antes que acabe a gororoba. E você, vive assim, escolhendo restaurantes? Você me aceita como companhia ou prefere a gata ardilosa de ontem à noite? Que fuga, rapaz, nem Belmondo em *Acossado*. Até o Cerdán percebeu, e a conversa migrou para as pernas da dama.

– O que o Cerdán opinou sobre as pernas da dama?

– O Leveder levantou o assunto, pois ele é fútil, da ala fútil. Mas o Cerdán trouxe a nota analítica discordando sobre o cânone.

– O que quer dizer isso?

– Veio dizer, quase em alemão, que era baixinha, mas soava como Lukács, Adorno ou um cara desses.

– Como terminou a reunião?

– Troco a informação por saber como acabou a sua reunião.

– Na cama, mas cada um na sua.

– É uma posição nova?

– E cada um na sua casa.

– Tem mérito. O telenamoro.

Carvalho dissertou sobre a raiz comum do *pot au feu* tendo em vista o excelente cozido. O grão-de-bico, disse, caracteriza a cultura do *pot au feu* à espanhola, e quase sempre a leguminosa seca confere a cor característica. Por exemplo, em Yucatán fazem cozido com lentilhas, e no Brasil com feijão-preto. No âmbito do cozido de grão-de-bico dos povos da Espanha, o de Madri se caracteriza pela linguiça, e o da Catalunha pela *butifarra* de sangue e pela almôndega. Carmela fez anotações sobre a elaboração da almôndega.

– Que astutos são os catalães. Por que nós não pensamos nisso?

– O que você acha do Martialay?

– Heroico. É do setor heroico. Eu chamo assim os que passaram na prisão todos os anos que têm e uns quantos que pediram emprestados.

– Duro?

– De aço. Mas o que tem a ver com o cozido?

– A linha de atuação sindical mudaria substancialmente se não fosse conduzida por Martialay?

– Não. Ao menos durante um longo tempo.

– Quem vai suceder o Garrido?

– Estou convencida de que, provisoriamente, o Santos, e depois veremos se adiantamos o congresso ou se aguardamos. O congresso deve ser no verão. Se for o Santos, seguirá com a mesma política de Garrido. E, se não for o Santos, pode se armar uma confusão muito grande. Somente poderiam ganhar o Martialay, o Cansinos ou o Sepúlveda.

– E o Leveder?

– O que você está dizendo! Esse aguenta por milagre. Faz tudo muito à sua maneira; irritava o Garrido porque sempre se abstém. É brilhante demais, muito vaidoso.

– O Martialay nós já conhecemos bem. E os outros? Cansinos?

– Uma máquina de trabalhar. Conduz a questão do movimento popular e se cacifou muito desde o pacto municipal com os socialistas. Para os moderados, é muito radical, e, para os radicais, muito moderado. Podemos situá-lo na coluna do meio.

– E o Sepúlveda?

– É um engenheiro. Digamos que é dos poucos sobreviventes da ala de intelectuais incorporada nos anos 60. Acho que aguentou bem porque, quando quer que ninguém o entenda, ninguém o entende. O cara se enrola com o tema da revolução técnico-científica, e no final não sabemos se acredita nela ou não.

– E os demais?

– Tomaram partido demais, se desgastaram em lutas pequenas.

– E o seu candidato?

– Santos. É meu homem. Parece um senador romano. Gosto muito. É um cara que nunca fez uma sacanagem, mas também não engana ninguém. Pelo partido, ele seria capaz de qualquer coisa. Estava fascinado pelo Garrido.

– É ambicioso?

– Não. É difícil que alguém ambicioso aguente num partido que vai estar na oposição até o ano 2000, não acha?

– A ambição pode se adaptar a qualquer terreno. Há garis ambiciosos.

– O Santos é muito peculiar. Veja bem, ele está casado e segue conservando o apartamento da clandestinidade. De vez em quando, deixa a família e volta a morar por uns dias no apartamento dos anos de chumbo. Vive como um monge. Não se sabe que tenha um mau hábito, um vício. A sua trajetória no partido não tem altos e baixos. Não deu grandes passos, nem passos em falso. Se repassar a biografia do Executivo, sempre vai descobrir um momento difícil em que foram críticos demais ou erraram. O Santos, nunca. Às vezes ele me parece um extraterrestre de tão terrestre que é, não sei se você me entende. Acho que é de museu. Às vezes penso isso. É como um modelo. Assim deviam ser os militantes antes... Antes de quê? Pois antes de tudo isso que está aí, que é uma loucura.

– O cargo do Garrido estava em perigo?

– Não. O cara às vezes era muito insistente porque sempre dirigiu o partido como bem entendia e estava mal-acostumado pelo adesismo que havia na clandestinidade. Mas também tinha representação histórica, e isso é apreciado num partido que tende à lentidão. Ele tinha conseguido se tornar insubstituível.

– Como as bases reagiram ao assassinato?

– Houve uma ordem imediata de contenção e de não responder às provocações. Se isso tivesse acontecido há três anos, teria sido um rolo. Mas este país se acostumou com a morte. O terrorismo provocou uma insensibilidade geral diante da morte. Poxa, você não bebe nada e tinham me dito que era uma esponja.

– Vou me encontrar com o Santos e quero estar à sua altura.

– Pois eu bebi um pouquinho e estou ótima.

O vinho havia colocado beleza nas maçãs delicadas do seu rosto e mel nos olhos decididamente amáveis com Carvalho.

– Por que você milita?

– Eu... Ah. Mas que pergunta! – estava perplexa e balançava a cabeça como se a resposta tivesse engasgado numa esquina do cérebro. – Em algum momento decidi e não tive motivos suficientes para mudar de decisão. Suponho que é porque sigo acreditando no partido como a vanguarda política da classe trabalhadora e na classe trabalhadora como a classe ascendente que dá um sentido de progresso à História. Diziam assim antes, não? Mas, olhe, não seja tão quinta-coluna: se você sair pelas bases fazendo essa perguntinha, vai me complicar. É como perguntar o que é uma mesa.

– Gostaria de ver a vida cotidiana num centro do partido. No seu bairro, por exemplo.

– Combinado. Se quiser, pode ser esta noite. Tem reunião de uma célula.

– Esta noite não posso.

– A baixinha?

Carvalho lhe deu um beliscão na bochecha, e Carmela lhe chutou com leveza por baixo da mesa.

Santos estava voltado para o horizonte. Às suas costas se amontoava a Faculdade de Filosofia e Letras. Permanecia ensimesmado, com as mãos unidas nas costas e a vista perdida em uma molécula imperceptível da paisagem, coberta pela luz malva do entardecer. Entre Carvalho que avançava e Santos que esperava se interpuseram dois homens.

– Santos – disse Carvalho, e o ensimesmado voltou-se para o grupo.

– Deixem ele passar.

Caminharam juntos em silêncio. Em seguida, Santos acreditou que devia se justificar. Todas as tardes passeava pela Cidade Universitária. Em 1936, estava a ponto de se formar e, apesar das lutas e dos anos difíceis, a Cidade Universitária havia ficado em sua lembrança como um paraíso fascinante.

– Era a cidade prometida. Quase todas as faculdades estavam em fase de construção. Uma arcádia de sabedoria. Éramos muito ingênuos, ainda mais os que vinham de baixo, ou quase de baixo, e nos custara muito chegar à universidade. Eu trabalhava à noite na oficina de encadernação do meu tio. Eu era um personagem de Barojas. Talvez o Manuel de *A luta pela vida*, mas a guerra me impediu de acabar como um bom burguês. Esta paisagem me relaxa. A esta hora não tem quase ninguém nesta época do ano. Um ou outro fazendo *footing*. Eles me enternecem. Fazem uma cara terrível de sofrimento. Em vez de correr tanto, poderiam fumar e comer menos.

– Queria vê-lo. É preciso admitir a evidência de que o assassino é um de vocês.

– Cento e trinta candidatos.

– Não. Uns vinte. Somente vinte tiveram tempo de se deslocar, matar o Garrido e voltar, e eu reduziria a quantidade a seis. Olhe este desenho – Santos parou, tirou os óculos do bolso superior do casaco. – Somente as duas primeiras fileiras da zona perpendicular à mesa da presidência. Dessas fileiras saiu o assassino.

– Você deduz pelo tempo empregado?

– E pela direção que tiveram de tomar para acertar o Garrido. Não esqueça que estavam no escuro, mesmo que Garrido fumasse e a luz do cigarro tenha servido como farol.

– Sinto colocar por terra a sua tese. O Garrido não estava fumando.

– Tem sete declarações que falam que o Garrido estava fumando.

– Não estava. Instantes antes de começar a reunião, esta questão foi colocada. Ele fumava muito e teve a intenção de acender um cigarro. Brincamos com ele sobre a proibição expressa de fumar durante as reuniões em local fechado. E mais, quando começou a reunião ele mesmo fez graça sobre isso. Disse que acabaríamos logo porque ele não conseguia ficar sem fumar.

– É verdade. Então, as declarações...

– Uma alucinação ou uma fixação obsessiva devido ao fato de ele ser um fumante inveterado. Eu mesmo tenho dificuldade em imaginá-lo sem um cigarro na boca. Um jornalista escreveu que parecia que já tirava os cigarros acesos do bolso do casaco.

— O cigarro aceso solucionaria o problema de orientação do assassino.

— Segue sendo um problema porque, repito, o Garrido não estava fumando. Pergunte à Helena ou ao Martialay. Eles confirmarão. Ou ao Mir. Além disso, temos a gravação das palavras dele brincando sobre isso de não poder fumar.

— Como é possível que sete declarações afirmem que ele estava fumando sem que alguém tivesse perguntado diretamente? Dizem isso espontaneamente. Um chega a dizer que em seguida a luz do cigarro desapareceu...

— A luz e o cigarro. Nenhum cigarro foi visto sobre a mesa. Nem nas roupas do Garrido quando o levantamos. Não estava fumando. Tire isso da cabeça.

— E como o criminoso se orientou? Como pôde dar um golpe com tanta precisão?

Santos encolheu os ombros. Carvalho acreditou perceber certo alívio na maneira de Santos se mover, como se o falso indício tivesse sido aplacado com uma evidência embaraçosa.

— De toda forma, insisto nestes vinte nomes, e especialmente nos seis que sublinhei.

Santos voltou a colocar os óculos, com menos vontade do que antes. Quando levantou a vista do papel para olhar Carvalho, um sorriso de ceticismo tomava conta do seu rosto.

— Estes vinte nomes somam um século de condenações cumpridas nas prisões franquistas e outro século de trabalho militante nas piores condições que alguém possa imaginar. Por Deus. E estes seis nomes. O senhor sabe quem são?

— Não. Mas o senhor sabe.

— Teriam que ser as pessoas mais cínicas do mundo, com a maior hipocrisia. Incrível, e, portanto, não acredito.

– O senhor é um materialista, e isso envolve ser racionalista.

– Eu sou um comunista – tinha levantado a voz e parado rígido, como se estivesse disposto a uma briga definitiva. Mas lentamente relaxou e um cansaço de chumbo primeiro apoderou-se das suas feições, em seguida de um esqueleto que pareceu se encolher, como se lhe derrubassem colunas fundamentais. – Não me dê atenção. O que quer saber?

– Informações mais detalhadas desses vinte homens e, especialmente, desses seis.

– Amanhã de manhã as terá.

Caminhou depressa, como se quisesse se desprender da companhia de Carvalho. A mão de Carvalho o agarrou bruscamente pelo braço e o obrigou a parar:

– Eu não me meti nisso por curiosidade, amigo. Vocês me chamaram. Se quiserem, deixo de correr, e vocês procuram o assassino por conta própria nas obras completas de Lenin ou na do mouro Muza.

– Desculpe a minha irracionalidade. Compreenda. Sou o menos indicado para aceitar que um camarada tenha podido assassinar o Fernando. Penduraram em nós uma lenda sangrenta que não nos corresponde. Na guerra era uma questão de viver ou morrer. Depois, a guerrilha. Mas todas as tentativas de demonstrar a realidade dessa lenda sangrenta fracassaram. O senhor conhece os libelos de Semprún ou de Arrabal contra o partido?

– Nem sequer leio libelos.

– Quando querem dar nomes concretos, não passam de um, e isso ocorreu em 1940.

– Não me conte a sua vida nem a sua história. Não me interessam.

– O nosso patrimônio ético está em jogo. Esse patrimônio ético é a grande força histórica dos comunistas. O dia em que o perdermos, seremos tão vulneráveis como qualquer profeta, tão inverossímeis como qualquer profeta. No mundo de hoje, as pessoas odeiam os profetas que exigem delas uma tensão constante com a realidade.

– Insisto, não me conte a sua vida nem a sua história. Suponho que quando um encanador ou um eletricista vai à sua casa não explica para eles a criação do mundo. Eu sou um encanador. Esqueça todo o resto.

– Não percebe? O assassinato do Fernando é uma tentativa de matar um partido e mais de quarenta anos de luta.

Carvalho encolheu os ombros e deu meia-volta. Então foi Santos quem o seguiu. Em pouco tempo recuperaram o passo normal entre silêncios até que Santos os rompeu com uma voz neutra, eficaz:

– Às dez em ponto terá o que me pediu e, se for preciso, convoco os vinte, os seis, os que forem necessários.

– Por enquanto basta o relatório, o mais detalhado possível. Incluídos os dados pessoais. Meios de trabalho ou de fortuna. Vida privada.

– Sinto decepcioná-lo, mas nossos arquivos não contêm esses dados. Peça esses para o Fonseca.

– Pensava em fazer isso.

CAMINHOU ÁVIDO DAS últimas belezas de uma paisagem escura até que a noite amontoou algodões negros sobre o horizonte da serra. Um pouco mais que algodões. Uma chuva fina voltou a dar um toque de outono definitivo ao ar e a impor urgências de chamadas nas luzes em movimento da Plaza de la Moncloa. Passou a seu lado um corredor de *footing* vestido de gabardine, com passadas de cavalo fugindo inutilmente do matadouro. Hesitou entre deixar-se dominar pelo medo da chuva ou pela necessidade de andar sob tão benévolas águas e escolheu caminhar em busca da Puerta de Hierro e de San Antonio de la Florida. As pessoas tinham pressa de dilúvio, e ele gozou da posse do segredo da cumplicidade das águas. Sentiu o chamamento de uma lembrança semiapagada, uma lembrança de saguão com sidra cheio de reflexos de sol adolescentes e, a ponto de se transformar em esponja saturada, chegou ao saguão recuperado de outra vida talvez, nesta casa de sidra seca com o nome de Casa Mingo, refúgio de fugitivos da chuva e asturianos em geral. Nada havia mudado da sua vivência ou do seu sonho e, de qualquer forma, nem o tinha vivido ou sonhado a ponto de comparar fidedignamente realidade e desejo. Entregou-se ao frescor profundo da sidra, avaramente precipitada em copos pouco acostumados à autocontenção do jorro. Úmido por dentro e por fora, empapou a espuma de maçã com chouriços cozidos na sidra e pastéis muito acebolados para dissimular a pouca quantidade de carne. Havia estado aqui antes? Sem dúvida. Um fragmento de conspiração pendia do seu cérebro como pendiam as cinzas dos lábios. Era um domingo, 25 anos antes, e o imenso salão estava cheio de massas de *tortillas*, ignorando que num canto ele tentava derrubar a ditadura verso a verso, frase a frase brilhante. É preciso recuperar Ortega, lembrava vagamente, dizia o seu interlocutor, hoje vice-presidente de não sabia qual câmara, se a alta ou se a baixa. E referia-se a Ortega y Gasset, sem dúvida. Para Ortega, faltou dar o salto do sujeito ao objeto, dizia o bigodinho aquele, um bigodinho de socialista orteguiano, especialista em receber todas as hóstias que os grupos de choque da Falange universitária deixaram escapar. Que brutalidade, o chouriço. Eis aqui um produto ibérico *si non è vero ben trovato*. A guarda civil, o chouriço, São Firmino, caralho, cacete, sacana, a puta que pariu, a raça. Mas Ortega y Gasset havia ficado no meio do caminho entre o sujeito e o objeto, havia ficado no ípsilon que separa o Ortega do Gasset. Ortega ou Gasset, como ficamos?

– Mais chouriço.
– Gostou?
– Não há nada como o chouriço.
– E mais ainda se for asturiano.
– O senhor jura que é asturiano?
– O chouriço e eu somos asturianos.

Espanha e eu somos assim, senhora. Sobre os guardanapos desenhava mapas do salão de reuniões do Comitê Central e no lugar de comunistas o recheava com esquemáticos jogadores de futebol na posição teórica de centroavantes, contemplados por zagueiros assustados e goleiros irremediavelmente vazados.

– Posso fazer uma chamada interurbana?
– Não. Mas a alguns metros tem uma cabine.

Chovia. Muito tarde para compensar a vontade que tinha de falar com Charo e Biscuter. Havia dois dias que estava fora da sua cidade e parecia-lhe que estava a meio mundo e a meia vida de distância, como se Madri lhe impusesse passado e geografia. Não. Não tinham merluza na sidra. Uma mulher na sidra. Precisava de uma mulher na sidra. Uma mulher céltica, com o loiro um pouco sujo pela insuficiência ariana e o azul dos olhos mais concreto e receoso que o azul viking. Gladys não era o tipo, mas era a única possibilidade próxima, a não ser que dedicasse a noite nascente para tentar flertar por baixo das mesas com panturrilhas casadíssimas de mulheres tão célticas como balofas, acompanhadas de glorificados homens que limpavam os pratos com fatias de um quarto de quilo. Decidiu percorrer a distância mais curta entre dois pontos sociológicos que o tentavam e substituiu a sidra por aguardente até que se sentiu à vontade entre os quatro pontos cardeais do seu próprio corpo. Deixou a depressão afogada na sidra, e a euforia aguardentosa o fez voltar-se para dois ou três decotes sem rostos. Expulso dos decotes por combativos olhos masculinos tão reluzentes como os lábios lambuzados, Carvalho lhes perdoou a vida e as fêmeas e devolveu-se à chuva, que lhe esperava com sua traidora doçura. Não encontrou um táxi até os arredores da Estação do Norte. Fez com que o levasse ao hotel para tomar um banho quente e telefonar para Biscuter.

– Chefe, já estava nervoso.

– Faz mal. Não fique nervoso com tanta facilidade. Alguma novidade?

– A Charo telefonou duas ou três vezes. Estava muito braba, chefe, porque não sabia nem em que hotel o senhor está.

– Estou no Ópera.

– Que bacana, chefe. Tem uma Ópera por aí?

– Parece uma bomboneira de bombons baratos.

– O senhor vai telefonar para ela?

– A hora não é boa. Pegaria ela no meio do trabalho. – Iria pegá-la em pleno orgasmo fingido com qualquer um dos seus clientes telefônicos habituais. – Diga a ela que se isto se prolongar eu telefonarei. Diga amanhã. Na hora do almoço.

– Almoçamos juntos, chefe. Fiz uma mussaca* que estava de lamber os dedos e a convidei. Fiz mal? Ela estava muito triste e passou todo o tempo falando do senhor.

---

* Prato típico da Grécia e da Turquia, preparado com carne moída e berinjela. (N.T.)

– Comeu ou não?
– Até se empanturrar.
– Como estão as Ramblas?
– Molhadas. Choveu todo o dia. Vai ter guerra, chefe?
– Que guerra?
– As pessoas dizem aqui que vai haver outro 18 de Julho. Que o que aconteceu com o Garrido foi outro sinal. O que as pessoas fazem por aí?
– Comem chouriço na sidra.
– Que gostoso, chefe.

Desligou. Encheu a banheira de água quente e quando submergiu descobriu que a chuva tinha infiltrado frio no seu corpo, um frio expulso pela água quente. Sentia-se abrigado. Fechou os olhos e viu um salão escuro com um único ponto brilhante ao fundo. Um ponto que criava um resplendor tão breve que não deixava distinguir o rosto de Garrido. A brasa do cigarro mudava a intensidade do seu brilho segundo a respiração do homem. Se fosse uma luz intermitente, uma luz de cigarro teria sido muito mais percebida pelos demais e haveria criado uma zona de relativa visibilidade em torno do rosto do fumante. Uma luz fixa. Mas como? O próprio Garrido fazendo sinais ao seu assassino. Estou aqui. Aqui o meu coração para o seu punhal. Alguém sentado a seu lado. Helena Subirats? Santos Pacheco? O indubitável era que o próprio Garrido havia emitido um sinal, havia conectado o farol que dirigia os passos de seu assassino. Um anel. Talvez um anel. Mas nenhum metal ou pedra preciosa podia impor seus lampejos na escuridão sem ser provocado pela luz.

– Fonseca. Lamento telefonar a esta hora.
– Não, não lamente. Sou seu fiel servidor.

— Li e reli o inventário do que apareceu sobre o corpo do Garrido. Tem o selo do seu departamento. Não deixaram passar nada inadvertido?

— Tudo o que o cadáver tinha quando nos foi entregue está inventariado.

— Algumas declarações insistem que o Garrido estava fumando e esse pode ser o sinal que orientou o assassino. Mas o Santos jura de pés juntos que Garrido não estava fumando naquela hora.

— Se ele diz...

— Como o senhor explica a orientação tão exata do assassino?

— Treinamento. Muito treinamento.

— Onde? Alguém do Comitê alugou aquele salão do Hotel Continental para treinar?

— Não é preciso. Basta reproduzir um cenário parecido. O Garrido sempre sentava no mesmo lugar. As distâncias puderam ser calculadas à perfeição.

— Não me parece uma explicação satisfatória.

— É questão de gosto ou de se querer.

O OLIVER PERTENCIA ao neoclássico. Qual neoclássico? Não importa, talvez fosse derivado do modernismo decorativo nascido na segunda metade dos anos 60 como consequência do naufrágio da sensibilidade *camp*.*
Assim como os renascentistas imitaram a arte grega e romana mais de mil anos depois da sua extinção prática, os neomodernistas recuperaram o último alarde imaginativo do capitalismo pré-monopolista depois de

---

* Gíria do inglês para comportamento, atitude ou interpretação exagerada, artificial ou teatral; ou ainda um adjetivo que significa algo de mau gosto. (N.T.)

quarenta ou cinquenta anos de sua decadência ter sido decretada. Sedativo nas cores, nas formas, nos volumes condicionados por pés-direitos altos para um espaço sem usura, a contribuição sádica inevitável do decorador havia sido alimentada na condenação dos corpos a ficarem sentados quase na posição teórica de quem caga de cócoras. Assentos, pois, para pré-árabes ou pós-japoneses, ou pesos pluma de abdomens condicionados para sanduíches de pão integral e ovo cozido. Quando Carvalho sentou, pareceu-lhe que iria ser interrogado por alguém mais bem posicionado do que ele, e essa expectativa condicionava o jogo de olhares de todos ali reunidos, inevitavelmente obrigados a se espiarem para adivinhar quem exercia o papel de grande interrogador. Esta incômoda sensação de estar mal sentado diante da vida às vezes conseguia ser disfarçada de curiosidade pelos rostos, sobrenomes e adjetivos que desfilavam procurando lugar no harém de interrogados ou no subsolo, onde diz a lenda que é armazenada boa parte da bicharada mais ilustre e culta de Madri. No salão heterossexual, ex-atrizes do ex-teatro, ex-atores da ex-vida intelectual safra maio de 68 com um radicalismo verbal perpetuamente renovado e convenientemente desgastado pela queda abusiva de lado em posição intervocálica. Herdeiros de fábricas de chouriço segoviano convertidos à negação da negação da negação do bakuninismo dodecafônico paradigmático abrasivo radical a sete quilômetros de qualquer lugar e sete léguas do antes e depois da descoberta de que o progresso é finito e de que os pais nem trazem as crianças de Paris, nem podem salvá-las do grau zero do desenvolvimento, nem da morte, explicavam os seus últimos achados *nouvelle cuisine*, a descoberta da conspiração dos anos 70, é falso que 70 seja um bom ano para os vinhos de Rioja, aí está, para não ir mais longe, o Muga 71, imprescindível para a sobrevivência apesar da traição dos comunistas e de que um íntimo amigo meu da Sorbonne se tornou aniquilador de cabeças no Camboja, cambojano ele, tradutor de Saint-John Perse ao cambojano, onde raios estará o sujeito agora. Príncipes do barroco acabam toda noite no Oliver a oração composta iniciada pela manhã na hora do café cortado com *porras*, sem bombas de oxigênio nem nada, a pleno pulmão, consegue-se lendo Góngora com uma gorda sentada sobre os pulmões. *Starlets* sem distinção de sexo nem estado nem firmamento falavam de funções equívocas entre teatrais e fisiológicas com todos os olhos do corpo desenhados com arte e deixavam a conversa preparada para terminá-la horas mais tarde no Boccaccio, já com as tetas masculinas ou femininas no chão porque há uma greve imensa ou do caralho, que é o mesmo. E fugitivos da redação ou da ex-redação do *Mundo Obrero*, ex-poetas concretos, cem mil romancistas da Andaluzia e um teósofo de Alcoy, um quarentão sensível doente dos nervos e uma mulher enfermeira com a xoxota a meio mastro, expulsos ou expulsores do Partido Comunista, secretários-gerais de todas as esquerdas peregrinas pelo caminho de Santiago, a última descoberta do umbral e o penúltimo livro de Cejador, vendedores de artigos do *El País* no mercado negro, uma garota de Sevilha que dorme tarde e sozinha, a cadeira vazia de quem não veio ao encontro, sobreviventes da expulsão de 1963 e três bisnetos gêmeos de Touro Sentado, os que passam para ver se são vistos, os que já sabem quem ganhará o Prêmio Planeta e quem matou Kennedy, um terrorista do ETA disfarçado de fortão do Norte, a freira que converteu Borges ao kropotkinismo mostra os estigmas de sangue azul que brotam das palmas das suas mãos.

– Isto está insuportável. Devíamos ter ficado em Malasaña. Tem mais ambiente. Isto parece um depósito de alegorias.

Gladys traduz para Carvalho o que ela ouve. Seus dentes perolados, diria-se que maravilhosamente artificiais, fascinavam Carvalho.

– Termine com o censo. Esgotei minha quota de prodígios.

– Ainda não descrevi os da esquina norte.

Usa uma blusa de angorá com o decote em "v" dividindo os hemisférios do peito, e Carvalho pressente um calor de equador na umidade escura das carnes exatas. Seus olhos são um dedo que recorre umedecido o nascimento das esferas e busca o sul de um corpo vegetal.

– Certamente em Malasaña o ambiente é melhor, mas ali as pessoas são menos eróticas, bem no fundo têm a saúde de limas espanholas. Aqui ninguém se salva dos pés de galinha nem da aplicação do carbono 14.

– Está improvisando ou recitando para mim um dos seus poemas secretos?

– Aborreço você?

– Não. Mas já tive o bastante. Não podemos falar reservadamente?

– Só falar? Vai se arrepender. Não sou o que pareço. Sou uma mulher fria e calculista que o levará à perdição.

– Então me leve.

– Foi você quem pediu.

Ao levantar-se, passou o antebraço pelo traseiro e coxas, num gesto que Carvalho viu pela última vez em Eleanor Parker num filme dos anos 50.

– O que está olhando?

O frio da rua perfuma a sua pele.

– Você me leva ou eu te levo?

– Estou de passagem pela cidade.

— Eu também não tenho casa fixa. Moro no subúrbio, numa casa que uns amigos me deixaram.

— Vamos pegar um táxi.

— Não tão depressa, forasteiro. Tenho carro. Também é emprestado. Tenho tudo emprestado.

— Eu estava tranquilamente debruçado no balcão, descansando de uma surra dialética, e você veio me procurar.

— Não seja bobo. E você, porque me olhava?

— Não tinha nada melhor para olhar.

— Aquela garota não era nada mal.

— Que garota?

— A moreninha que estava com você.

— Não estava comigo. Acho que estava com o outro, com o loirinho que traduzia Lenin para a língua dos folgados.

— Pois vocês devem ter se conhecido na outra vida, porque se olhavam como primos-irmãos.

Logo, enquanto ela dirigia, Carvalho acariciou a cabeleira quase vermelha, e ela lhe devolvia lufadas de sorrisos, às vezes resplandecentes quando era fotografada pelos faróis dos carros que cruzavam por eles. Gladys às vezes caçava a mão de Carvalho com os lábios para deixar sobre ela pequenos beijos. O carro seguiu por um caminho misterioso para Carvalho, mesmo tendo intuído que pegavam a estrada de La Coruña na direção de um bairro residencial. Entraram em ruas imóveis a serviço da anoitecida retícula imóvel de um bairro senhorial. O carro parou, e beijaram-se. A língua de Carvalho à beira do abismo, a dela levemente debruçada na varanda. A língua de Gladys agilizou-se na via-crúcis de beijos que marcou o avanço por um caminho de cascalho rangente, e deteve-se diante de uma porta de vidro que Gladys abriu com pouca desenvoltura.

– Não. Por aí não. Podem voltar a qualquer momento. Venha para o meu quarto.

Carvalho viu uma bacia de porcelana craquelada, um cabide de roupas de verniz brilhante, uma janela totalmente fechada. Não pôde ver muito mais porque Gladys apagou a luz e acendeu um abajur da mesinha de cabeceira. A cama prometia ser uma pátria branda, e sobre ela caíram os dois corpos.

Não se deixou desnudar. Tirou o blusão de angorá por cima da cabeça e saltaram dois seios com duas framboesas nas pontas. Gladys pôs as mãos abaixo dos seios como para medir o seu peso ou impedir a sua queda. As mãos serviram de bandejas para os lábios mamões de Carvalho e logo foram ao encontro das do homem para proibir sua viagem aos canais dorsais até o abismo anal.

– Devagarinho.

E para Carvalho pareceu que Gladys disse isso com voz de puta ou de mãe de seis filhos aturdida pelas compras, os refogados e as varizes. Mas o doce sorriso não tinha nada a ver com o tom de voz nem tampouco com os lábios pequenos que bicavam os de Carvalho, o queixo, a pelugem do peito e deixaram sobre os mamilos do homem duas mordiscadas desestabilizadoras pela excessiva presença dos caninos. As mãos de Carvalho haviam se apoderado das nádegas, as separavam para dividir o segredo e o aroma das fendas absortas.

– Devagar – voltou a dizer Gladys, com a voz turva, mas com os olhos frios, fixos nos de Carvalho.

Com as pontas dos dedos, o homem eriçou a penugem úmida que marcava um rastro do anus até a vulva pequena, espreguiçada até adquirir crescimento de fruto.

— Devagar.

Já havia maior relação entre o olhar e a voz. Carvalho deixou-se cair de costas com Gladys por cima e a levantou com os braços para ver seus cabelos, seus seios, seu olhar surpreso e brando e, sem lhe dar tempo para se recobrar da surpresa, sentou-a sobre o pênis, penetrando-a. Olharam-se sem se mexer e sem dizer nada, mas o olhar de Gladys pedia explicações, e Carvalho não estava disposto a fornecê-las. Gladys fechou os olhos, levantou a cabeça, apoiou as mãos sobre o ventre de Carvalho e começou a subir e baixar numa perfeita ginástica marcada por uma respiração regularmente ofegante. Carvalho percorreu a geografia do teto de vigas pintadas de marrom-escuro e a do rosto de Gladys, sublime, em êxtase quando inclinava a cabeça para trás, e vencido, cansado, quando a deixava cair em direção ao corpo do homem que a penetrava. A chegada do orgasmo foi anunciada por vários gemidos, alguma queixa contida, a fraqueza dos braços que se dobravam abandonados pelo cérebro e, finalmente, o corpo de Gladys fechou-se sobre o de Carvalho como uma capa, e uma umidade de mancha de óleo lubrificou os sexos untados.

— O que está fazendo? — Carvalho a tinha agarrado fortemente pelos braços, a obrigava a ficar de quatro sobre a cama. — O que está fazendo, idiota? Acha que vai me comer por trás?

Carvalho ajudou seu filho predileto a encontrar a entrada do sexo feminino desmaiado, depois se apoderou das cadeiras e das nádegas da mulher, forçando-a a um movimento de planetas giratórios. O rosto de Gladys havia desaparecido sob a cúpula do cabelo agitado pelas idas e vindas do corpo quadrúpede ao encontro da vara tenaz, mas o cérebro da mulher seguia funcionando como um computador e, de vez em quando, enviava ordens às mãos para que lançassem tapas libertadores da excessiva pressão das garras de Carvalho sobre as nádegas ou as cadeiras. Do rosto de Gladys, esmagado contra os lençóis, saiu um gemido rouco voltado ao oeste, e a mulher deslizou para a frente, deixando o sexo roxo de Carvalho abandonado, enganado por um som de desengate de umidades, um corredor sonoro de despedida carnal. Carvalho deixou-se cair a seu lado não em busca de companhia, mas para proteger a retirada do seu pênis para a posição original, e os olhos de Carvalho ficaram a poucos centímetros de um olho aberto de Gladys, cheio de risonha neutralidade.

– Você estava faminto.

– Você é sempre tão mandona na cama?

– Mandona, eu? Se você fez o que quis. Menos mal que não tentou me sodomizar. Não suporto isso.

Abandonou o tom de explicação pós-operatória para acariciar com um dedo a ponta do nariz de Carvalho.

– Está com sede? Posso preparar algo para você? Deixa eu te surpreender?

– Me surpreenda.

Gladys saltou da cama e todas as protuberâncias soaram visualmente como cascavéis.

– Você jantou bem?

– Rusticamente.

– Vai lhe fazer bem um elixir. Sabe o que é?

– Soa muito mal.

– É um digestivo que anima.

– Esta noite é minha; não preciso de afrodisíacos.

– Não seja bobo. Não disse que anime nesse sentido.

Sem outra roupa que a blusa de angorá, saiu do quarto; Carvalho deixou-se relaxar e hesitou entre seguir pelos caminhos da sonolência ou levantar para ver o que Gladys preparava pela casa. Levantou-se e tentou abrir a janela. Estava trancada.

– O que está fazendo?

Gladys estava na porta, animal anfíbio de lã de angorá e sexo peludo vermelho, com uma taça de beberagem verde em cada mão.

– Estão trancadas.

– A casa fica abandonada a maior parte do ano, e há muitos roubos nesta área. Não quis mexer em nada. Afinal, só venho para dormir.

Carvalho a pegou pela cintura e lhe colocou o sexo entre as pernas.

– Outra vez? Vai derramar a bebida.

Ela afastou-se e estendeu uma taça enquanto levava a outra aos lábios. Carvalho cheirou o conteúdo:

– O que é isso?

– É um digestivo muito gostoso. Licor de menta, conhaque, creme de café e gelo.

– Deve fazer bem para os ovários.

– Estúpido. Você é muito estúpido.

– Que nada, mulher, a menta faz muito bem para os ovários.

Gladys havia sentado na cama, recostada na cabeceira. Levava a taça aos lábios pequenos e tinha os olhos cheios de deleite.

– Está muito gostoso. Beba.

Carvalho deixou a taça sobre a sua mesinha, pegou a que Gladys segurava e a deixou junto à outra. Depois pediu um beijo profundo que ela correspondeu primeiro à mesma altura para em seguida diluí-lo numa brincadeira com a língua contra o céu da boca do homem. Carvalho escolheu a taça que era de Gladys e bebeu metade do conteúdo.

– Parece um purgante. Mas está bom.
– Estúpido, que estúpido que você é. Está muito estúpido esta noite.

Agora Gladys aproximava os lábios da taça que antes havia entregado a Carvalho e a deixava perto dos seus dentes perfeitos.

– Não vai beber?
– Já bebi – respondeu Gladys.

Carvalho estendeu a mão para pegar a parte inferior da blusa de angorá e tirá-la por cima, mas o braço não respondeu ao movimento dos dedos. Sentia um formigamento lento invadindo todos os músculos e os olhos, que já viam o rosto preocupado de Gladys cheio de formigas.

– O que você tem? – disse o rosto preocupado, e não viu nem ouviu mais nada.

Acordou com a sensação de estar sendo observado. À luz do abajur de lâmpada opaca recuperou o espaço do quarto, os dois ou três detalhes concretos que tivera tempo de reter: o cabide de verniz brilhante e a bacia de porcelana craquelada. Lançou o braço direito em busca do corpo de Gladys e encontrou um grito de quebrar vidros, estridente, que cravou em seu peito como um alarme total. Virou a cabeça. Sentada no colchão, numa tentativa desesperada de cobrir as carnes que espiavam pelos rasgões da blusa, uma adolescente com olheiras e apavorada perpetuava o grito enquanto olhava para Carvalho como se ele fosse um predador. Carvalho endireitou-se e deteve o gesto de tapar a boca da garota quando a porta se abriu violentamente e dois homens volumosos e ofegantes inundaram o quarto como se fossem cem. Alguém começou a cuspir luzes de *flash* que o obrigaram a fechar os olhos. O grito da adolescente havia se transformado em choro histérico.

— Queria me violentar! Ele me bateu!

Carvalho começou a receber socos no estômago. Deu um chute no ar e acertou um corpo. Mas outro caía sobre ele e lhe triturava a cabeça com socos. Agarrou com as duas mãos um pedaço de rosto e apertou com desespero, sentindo como se deformavam em seus dedos uma bochecha, uma orelha, uma pálpebra que tentava se fechar para proteger o olho. O flash havia cessado e tentou aproveitar a recuperação da visibilidade para voltar à posição vertical e enfrentar a situação. Viu a si mesmo nu, ridículo contemplador do seu próprio sexo flácido e de uma menina desconhecida e chorona enrolada num lençol que lançava acusações ranhosas e entrecortadas a partir de um canto do quarto. Eles eram três. O fotógrafo sorria enquanto guardava a máquina. Os outros dois se aproximaram. Em uma das quatro mãos havia uma pistola.

— Você é um porco sujo. Ela é menor.

O orifício da pistola adaptou-se ao umbigo de Carvalho como uma ventosa.

— Fique de quatro.

O que falava tentava disfarçar um sotaque latino--americano concreto e lhe saía um espanhol de ator de dublagem porto-riquenho.

— O que fizeram com Gladys?

— Que Gladys? Esta menina é minha irmã e se chama Alicia. O que este porcalhão fez com você, Alicia?

— Foi horrível!

— As fotos ficaram boas?

O fotógrafo assentiu.

— Leve ela daqui.

O fotógrafo pegou pelo braço a menina, que havia deixado de chorar e corrigia as pregas do lençol para conseguir uma clâmide de tergal azulado. Ela deixou-se conduzir para fora do quarto e antes de sair depositou em Carvalho um olhar neutro, com a indiferença de uma companheira de elevador.

– Posso me vestir?

– Gostamos mais sem roupa. Vamos empalar você com uma garrafa e depois vamos cortar os ovos para que não faça mau uso deles. Degenerados como você devem ser tratados assim. Que garrafa prefere? Gosta da de Coca-Cola?

Falava com o nariz e o focinho enrugados, como se o gesto o ajudasse a pôr agressividade na voz. O outro, ao contrário, não dizia nada. Seus olhos azuis contemplavam Carvalho com uma neutralidade tecnológica garantida pela firmeza com que uma das mãos segurava a Beretta.

– Onde a encontraram? Estou falando dessa putinha.

– Vai lavar a boca com ácido. Está falando da minha irmãzinha.

– Até as melhores famílias têm putinhas.

Possuído por seu papel, fez o gesto de lançar-se sobre Carvalho para vingar a sua honra, mas o outro o conteve com a mão que estava livre.

– Deixe ele. Está provocando você.

O loiro de olhos azuis tinha um sotaque que evocou em Carvalho a Europa Central. Tcheco? Alemão? Soviético? O latino-americano parecia um ex-boxeador bem conservado. Até a sua careca era um músculo cuidado para evitar o escândalo da decadência. Na sua mão havia brotado um grande cassetete preto com que bateu com força nas pernas desnudas de Carvalho, obrigando-o a pular. Deu um golpe certeiro na curva da perna e Carvalho caiu no chão de joelhos.

– Não se mova.

A pistola estava apontada para os seus olhos. O outro algemou seus pulsos unidos nas costas.

– Coloque algo por cima dele.

– Colocarei uma camisa. Mas o saco está dependurado. É mais fácil cortá-lo.

O jogaram de costas. Ataram os tornozelos ao pé da cama, saíram do quarto e o deixaram no escuro. A escuridão lubrificou os olhos esfolados por tanta surpresa. Surpreendeu-se cantarolando uma velha canção de Catherine Sauvage:

> *Braves gens*
> *écoutez la triste ritournelle*
> *des amants qu'ont vécu dans l'Histoire*
> *parce qu'ils ont aimé des fameuses infidèles*
> *qui les ont trompé ignominieusement.*

Começou a rir e repetiu o último verso alegremente. A aposta deve ter sido muito forte para que tenham lançado mão de um submarino como Gladys. Logo a dor dos braços enfraqueceu sua alegria e teve que se agitar sobre as costas para afastar as alfinetadas que lhe cravavam os músculos dos braços. Por outro lado, parecia ter dependurado sobre o sexo frio e úmido todo o perigo do mundo. Apoiando o corpo sobre as omoplatas conseguia aliviar a dor dos braços. Procurou uma posição que compensasse a tensão dos músculos e não a encontrou. Quando aliviava os braços começava a lhe doer o pescoço. A porta se abriu e o retângulo de luz derramou-se sobre suas pernas, até a cintura, deixando o tórax e o rosto no escuro. Era o latino-americano.

– Gosta da posição? Pode ficar assim uma semana. Não. Não aguentaria: dentro de algumas horas estaria mais mole que um figo. Você vai ficar aqui. Mijado. Cagado.

Pôs a planta do pé sobre o sexo de Carvalho.

– Vou prensá-los como dois figos secos.

Estava obcecado com figos.

– Talvez pudéssemos falar e esclarecer as coisas.

– Nós decidiremos quando for a hora de falar e esclarecer as coisas.

– Deixe ele.

O da Europa Central ocupava todo o vão da porta. O outro acentuou brevemente a pressão do pé sobre os genitais de Carvalho e em seguida se afastou desgostoso e resmungando.

– Você tinha que deixar ele para mim.

Mergulhou num canto escuro do quarto e deixou que a cena fosse decidida entre Carvalho e o outro.

– É muito incômodo falar assim.

– Asseguro ao senhor que os seus incômodos foram calculados e podem aumentar.

– O que vocês querem?

– Que medite.

Deu uns passos para trás e deixou de ser uma poderosa sombra à contraluz. O outro se moveu pelo quarto e reapareceu na porta para sair sem dizer nada e fechar a peça atrás de si. Com o último ruído da porta se fechando, a dor voltou à consciência de Carvalho como se tivesse estado na expectativa do resultado de uma entrevista fracassada.

Os lábios de Carvalho sangravam e doíam, esfolados de tanto mordê-los. Parecia ter ossos de ferro lutando para abrir caminho com punhaladas através da carne.

As tentativas de respirar fundo para relaxar haviam se transformado progressivamente em arquejos para não ouvir a dor. Mas, quando a porta voltou a se abrir, pôde compor um rosto hierático revelado pela abertura da luz. Desataram seus pés e, quando as pernas caíram no chão, pareciam ter milhares de agulhinhas comunicadas com todos os centros nervosos. As pernas falharam quando o colocaram em pé, e os homens o ajudaram a andar primeiro por uma galeria comprida e nua como um corredor para o cadafalso e depois por uma sala que abrigava em suas paredes milhões de pesetas em honrarias. O da Europa Central sentou-se atrás de uma cômoda, emoldurado por duas guampas do marfim mais genuíno do mundo, e o latino-americano fez Carvalho sentar-se num *pufe* invertebrado no qual foi engolido por milhares de bolinhas de poliuretano resmungantes por terem de deixar espaço para Carvalho.

– Tire as algemas e coloque a pistola na nuca dele. Não se mova, senhor Carvalho. É um assento muito barulhento, e ao menor ruído meu colega pode perder a calma.

O da Europa Central desenhava ou escrevia num papel. Carvalho sentia a presença do outro às suas costas. Segurou os pulsos liberados. Esfregou os braços que chegavam de uma longa viagem cheia de dor e impotência. Do andar superior da sala chegou o aviso das pisadas do fotógrafo. Passou na frente de Carvalho sem olhá-lo, tinha nas mãos um bolo de fotografias que depositou sobre a escrivaninha diante do loiro de olhos azuis. Só então a cabeça se ergueu para que os olhos passeassem sem vontade pelas fotografias e alternativamente viajarem até Carvalho, como se buscassem um ponto de referência.

– Muito bonito. São fotos muito bonitas. Vai ser encantador quando forem publicadas. Veja.

Carvalho viu a si mesmo se jogando em direção de uma pobre menina seminua, com o pânico acusando ainda mais as feições desencaixadas. Quinze ou vinte fotos. A tentativa de fazê-la calar. A surpresa diante da invasão. A flagrante nudez. A tentativa de escondê-la. O fotógrafo devolveu as fotos à mesa e saiu por onde havia entrado.

– Muito bonitas.
– Muito bonitas. Gostaria que fossem publicadas?
– Se me deixarem selecioná-las, sim. Não me importo. Meus pais não vão me repreender. Sou órfão. Não tenho mulher nem filhos.
– Mas o senhor tem clientes. E neste momento um cliente que não pode se arriscar a novos escândalos. Depois do assassinato do chefe, só faltaria pegarem o detetive privado como corruptor de menores.

Ele podia ser centro-europeu ou simplesmente um executivo agressivo vindo de alguma Escola de Administração de Empresas com o idioma assexuado pelo poliglotismo.

– Trata-se de uma chantagem?
– Depende.
– Tiveram tanto trabalho para chantagear inutilmente um dos poucos homens deste país que não tem nada a esconder.
– Nada a esconder?
– Nada. Nem sequer o mais terrível. Os outros me importam um caralho, amigo, e pela sua cara parece que já sabe disso.
– Vou cortar os seus ovos com uma gilete – disse o outro às suas costas, e Carvalho lembrou que seguia nu da cintura para baixo, na posição de vítima do apetite engolidor do *pufe* pepino-do-mar.

– O seu amigo deve ser de último modelo. Não conhecia esta variante de gorila castrador. Está obcecado.

O gorila castrador agarrou um punhado de cabelo e puxou até forçar para trás a cabeça de Carvalho. Então deixou cair uma baba lenta, pesada, como de mercúrio, sobre os lábios do prisioneiro. Carvalho limpou-se com o dorso de uma mão, contendo o vômito que lhe subia do estômago como círculos concêntricos. Os olhos azuis tinham se apequenado, valorizando a capacidade de Carvalho para limpar a baba.

– Não fale por conta própria. Responda o que perguntarmos. Talvez estas fotos não lhe importem. Mas incrementam o dossiê. No entanto, interessarão a Santos. Que orientações recebeu? Que rumos lhe deram para a investigação?

– De que organização os senhores são? Da CIA, da KGB? Ou de nenhuma dessas?

– Somos da Sociedade Protetora da Baleia Bebê. Você esteve com o Fonseca. O que acordaram? Por onde seguem as investigações oficiais?

– Com o Fonseca falamos dos velhos tempos.

– Por favor. O senhor não está nas melhores condições para ser irônico. Hoje em dia, assim como estão as coisas, o senhor morto não vale nada, nem meia hora de investigação policial, nem meio incômodo do pessoal do seu partido.

– Não tenho partido.

– Dá no mesmo. Coopere. É uma informação simples e que não compromete nada. A quem vão atribuir o morto?

– O que o senhor me aconselha?

– Essa é uma boa pergunta.

– Excelente – comentou o obstinado por testículos.

– Este é um jogo grande, e o senhor é a bolinha da roleta. Vai cair no número e na cor que o crupiê quiser. Queremos saber que número e que cor lhe deram.

– Por enquanto, eu tenho de procurá-los.

– Não seja ingênuo ou não me tome por bobo. Neste momento, há dezenas de pessoas vigiando o senhor e se vigiando entre elas. Convém ter um apoio.

– Os senhores?

– Depende. Se o senhor colaborar, sim. Precisamos que nos informe periodicamente sobre o andamento das investigações. Sobretudo no momento em que a bolinha estiver prestes a parar e cair na casa.

– Ao que parece, sabem tudo. Então me digam em que casinha vai cair a bolinha.

– Eu sei poucas coisas. Sei o que tenho que fazer com o senhor. O que tenho que dizer e o que pedir. Nada mais. Neste jogo, cada um tem seu objetivo. Eu cumpro meu papel.

– Não acha um pouco grotesco isso das fotos?

– Pareceu grotesco ficar amarrado durante três horas? Vai achar grotesco ficar amarrado outras três ou outras cem? Quem nos impede? Não se fixe num detalhe. Valorize o todo.

– Podem devolver as minhas calças?

– O especialista em questões de calças é o meu colega. Pergunte a ele.

O maníaco castrador os observava do alto de uma aborrecida indiferença. Custou para entender que havia sido solicitado. Preparou-se para ser efetivo. Enrugou o nariz e o focinho. Endureceu a voz:

– Nem pensar. Ele deve voltar a meditar mais um pouco. E depois veremos.

Puxou pelas lapelas da camisa de Carvalho e o empurrou até uma das saídas da sala. O outro iniciou o caminho de volta através do corredor. Falou com Carvalho sem se virar:

– Medite um pouco mais. Em breve receberá notícias nossas.

Deixaram Carvalho no dormitório que havia dividido com Gladys e com a violada. Atirou-se na cama depois de comprovar que haviam fechado a porta e que as janelas seguiam trancadas por fora.

As dores amansavam-se lambidas pelo tempo estancado no quarto, e as pálpebras ao se fecharem o separaram da escuridão física para abrir as portas do sonho. Estava sentado em uma cadeira articulada de barbearia e via no espelho a cabeça de um enforcado sorridente.

Foi acordado pelo barulho da porta aberta batendo devido a um vento constante e frio. Ao colocar os pés no chão, encontrou as calças. Vestiu-as com a urgência de um drogado, como se recuperasse parte da pele. Calçou os sapatos e terminou de se vestir. Aproveitou uma abertura espontânea da porta para penetrar no corredor. Percorreu-o na ponta dos pés, com as costas raspando na parede. Parou junto ao marco da porta que se comunicava com a sala para escutar todos os ruídos que a casa oferecia. Todos eram provocados pelo vento brincando com as portas, rasgando a fachada como uma lixa e tentando arrancar a cabeleira de árvores que gemiam no jardim. Um homem perdido numa sala de mais de cem metros. Essa era a imagem de si mesmo que lhe caiu por cima como uma evidência. Percorreu a casa como um robinson em qualquer ilha deserta. Havia ficado com Gladys e com a violada no quarto de serviço. A casa era uma residência familiar sem maior interesse que a imaginação usada para que os oito banheiros fossem diferentes e o dinheiro empregado para decorar seus quinhentos metros de espaço habitável. Fotos de família. Diploma de um engenheiro-agrônomo. Leandro Sánchez Reatain. Uma foto autografada por Franco. Outra por Juan Carlos. No porão, safras de Rioja amontoadas sem o menor critério. Carvalho deduziu que um atacadista havia lhes vendido as piores safras desde o desastre da Annual. Uma despensa com presuntos e embutidos comprados no El Corte Inglés. Em uma geladeira enorme, na qual cabiam mil latas de pêssego em calda, Carvalho encontrou as dez latas sobreviventes da voracidade de uma família adocicada e uma linguiça sem pai nem mãe que mordiscou com apetite. Nem rastro dos açougueiros, nem do fotógrafo, nem da violada, nem de Gladys. Pensou em chamar Carmela, mas não sabia onde ela estava. Eram sete da manhã. Saiu para o jardim e descobriu um horizonte de jardins e mansões com telhados de ardósia e antenas de televisão suficientes para retransmitir para a lua cenas de churrascos nas grandiloquências de espetos da quinta dinastia, espetos de ferros enriquecidos e bronzes bronzeados. A juventude da maioria das árvores revelava a idade daquela zona residencial que Carvalho situava ao norte de Madri, sem saber a que distância exata da estrada de La Coruña. Andou em volta da piscina coberta por um plástico azul. As cadeiras voadoras de um balanço roubavam a luz da lua. Sentou-se em uma delas e deu impulso para se balançar. Subia e descia num silencioso vaivém de balanço bem e recentemente engraxado. Subia até uma lua com olheiras e descia para recuperar o brilho de diamante de um cascalho bonito. Um sapo voluntarioso passou sob o balanço e se foi até a piscina. Desapareceu sob a cobertura de plástico nas águas paralíticas. Carvalho subia e descia aos céus de impotentes escuridões para tanta lua. Era o mesmo céu da prisão de Lérida transformado num caminho de fuga imaginária, numa realidade cercada por quatro pontos cardeais de pedra. Algum camarada tinha lhe mandado um postal que reproduzia um quadro mágico de Klee. A lua era uma bola vermelha brincando sobre os telhados de uma cidade cúbica. Era a lua de Lérida. Era a lua de Madri vinte e tantos anos depois, e ao conter o último impulso sentiu que o frio era excessivo, que havia se metido no corpo, como se tivessem se juntado os relentos das noites na prisão de Lérida e aquele relento que dava brilho ao cascalho do chalé transformado em tcheca.* Que merda você faz aqui? Que merda faria em qualquer outro lugar?

– Sabe qual seria a maior tortura para um preso? Não deixá-lo ver o céu.

Era a hora do pôr do sol. Os três irmãos fujões haviam recebido uma rara permissão para sair para o pátio em companhia de quatro presos políticos da prisão rural de Lérida. Os três irmãos fujões tinham tentado escapar doze vezes e somavam 150 anos de pena cada um. Assumiam a responsabilidade por delitos ocorridos em todas as províncias da Espanha para provocar a remoção e a oportunidade de uma fuga. Dois deles não falavam nunca. O outro aceitava cigarros e observava o céu como se o tragasse.

– Não digo em voz alta para que estes safados não me escutem. Vocês estiveram em Burgos? Aquilo lá está cheio de companheiros de vocês.

– Conhece um tal Cerdán?

– Cerdán... Soa familiar. É um jovem como vocês. Aquilo é outra coisa. Lá estão todos os comunas da

---

* Nome dado ao comitê de polícia secreta da antiga União Soviética e também de outros países; organismo que submetia os detidos a torturas. (N.T.)

Espanha. Desculpe. Digo comunas com respeito. Eu respeito os comunas. Vamos ver que dia Kruschev vem de moto e joga todos estes filhos da puta no mar. Eu e meu irmão mais velho fugimos de Burgos misturados com o lixo. Seis quilômetros. Seis quilômetros cheirando a podre e depois não nos deixaram tomar banho durante todo o isolamento.

Um louva-a-deus havia pousado sobre as batatas recém-descascadas pelo gordo cozinheiro aborteiro que colocava suas carnes para secar sob a luz incipiente da lua.

– Esta é a espécie mais puta que existe. Mata o macho depois de transar.

O fugitivo conhecia todos os animais passageiros que penetravam nas prisões e fazia talas nas patas dos pardais feridos com palitos e linha.

– Um balanço ficaria muito bem neste pátio.

Era verdade. Um balanço teria permitido subir e subir, aproximar-se da lua bola vermelha de Klee sobre a arquitetura cúbica e branca daquela prisão rural. Duas semanas depois levaram os irmãos fugitivos para a prisão do Porto de Santa Maria. Passaram na frente do centro da prisão radial e lançaram um último olhar de desdém e cansaço para um chefe de serviços dióptricos e poeta de alexandrinos. Carvalho espanou-se para tirar o pó que as correntes do balanço tinham deixado nele. O ruído do cascalho o acompanhou até a grade de ferro adornado. Saiu numa rua amanhecida, limpa, impecável, quase inútil, uma rua residencial seleta. Percorreu-a em busca do primeiro acesso e seguiu por ela entre construções semelhantes, em busca da saída de Dédalo. O barulho do tráfego crescia a oeste e foi até lá para encontrar a estrada de La Coruña e as primeiras réstias acesas de automobilistas. Subiu um barranco engatinhando e emergiu como um filho da madrugada e da estrada. Demorou a encontrar o gesto para pedir carona. Os carros passavam salpicando-o de pressa e indiferença. Andava alguns metros, virava-se, enfrentava os faróis obcecados e repetia o gesto. Parou um Chrysler dirigido por um homem balofo com patinhas brancas. Usava um colete.

– Carro quebrado?

– Não. Uma farra que durou demais.

– As farras quando são divertidas nunca duram demais.

– A garota com quem eu ia acabou dormindo.

– As mulheres são muito peculiares.

Dirigia apenas tocando de leve o volante. Como se tivesse nojo.

– O senhor sabe como se chama a região em que me pegou?

– Las Rozas. É uma zona residencial elegante. Eu tenho um hotelzinho mais acima. Minha região também é muito boa, mas é outra coisa. São as Colinas del Almendro, um condomínio que eu e um grupo de amigos lançamos. Sabe quanto nos custou o palmo de terra há quinze anos? Cinco contos. Isso mesmo. E agora o que resta saiu por 150 ou duzentos. Segundo...

– Segundo o quê?

– Segundo o sol.

O sol amanhecia definitivamente sobre os telhados da cidade.

– Qualquer dia vendo tudo e não vão ver nem a minha sombra. Imagine a cara.

– De quem?

– Da minha mulher, por exemplo. Olhe, o seu marido me vendeu esta casa. Onde está o meu marido? E eu no outro lado.

– Do mundo?

— Do que for, mas no outro lado. O senhor é basco? Menos mal. Porque quero ir para o outro lado, mas com a condição de que não existam bascos. Acham que são mais valentes do que ninguém. É essa coisa da boina. Deforma as ideias deles. E acredite, gosto da minha mulher e dos meus filhos, mas eles me consomem. Tenho a sensação de que me consomem. De onde você é?

— De Barcelona.

— Então bata aqui.

Bateram a palma das mãos.

— Aquilo é outra coisa. São os mais espertos de todos. Têm mais dinheiro e mais educação. E não jogam bombas como os bascos. É outra coisa. Aquilo é Europa.

— Já era tempo.

Primeiro teve a suspeita cinematográfica de que tinha errado de quarto e deu um passo atrás. Mas as pastas azuis abertas sobre a cama, o sorriso incitante do homem gordo encoberto pela poltroninha de hotel lhe confirmaram que estava na direção certa e que devia entrar na peça sem tirar os olhos da mão do gordo metida no bolso de um casaco muito grande para ele.

— Passei toda a noite aqui esperando pelo senhor.

— Não tínhamos nada marcado.

— O senhor é o homem da hora. Tem encontros marcados com todo mundo.

Riu com a cabeça levantada em direção ao teto e a mão agarrada no braço da poltrona para conter o movimento sísmico de seu corpo.

— Não sou rancoroso. Dormi um pouco. Dei umas cabeçadas aqui. Depois não pude aguentar e arrumei um lugar na cama. Não, não tirei as pastas. Estão como estavam.

— O senhor é russo, americano, alemão, tcheco? Pelo sotaque o senhor me parece centro-europeu, e esta madrugada esgotei a minha cota de centro-europeus.

— O que é um centro-europeu? O que somos, os centro-europeus? Gente de encruzilhada, gente do caminho. Eu mesmo não sei o que sou. E se eu pedisse um café da manhã para dois?

— E a minha reputação?

Desta vez, empregou a mão livre para apertar o epicentro das gargalhadas, exatamente a terceira prega de carne amontoada sobre a braguета.

— Perdeu a outra mão em Stalingrado?

Amontoou mais gargalhadas sobre as anteriores, mas não tirou a mão invisível.

— O senhor é muito engraçado, o detetive mais engraçado que já conheci. Um bom começo, sim, senhor. Se tomarmos café, nosso humor vai melhorar. Quero tomar café aqui.

Era uma ordem. Carvalho pegou o telefone e pediu café para dois.

— Eu não pretendo tomar nada. Os cafés da manhã de hotel me horrorizam.

— Eu tomarei os dois. O importante é o ritual. O barulho das xícaras, do leite ao enchê-las, a espátula com manteiga sobre as torradas. Acalma o espírito.

— Os seus colegas não são tão amáveis como o senhor.

— Que colegas?

— Passei toda a noite com dois cavalheiros que me submeteram a um hábil interrogatório.

— Está vendo? O senhor tem encontros marcados com todo mundo. Maldição. Chegaram na minha frente. A que horas foi o encontro?

— Às duas da madrugada.

Suspirou satisfeito.

— Eu cheguei aqui muito antes. De fato, eu cheguei primeiro, mas o senhor não veio ao meu encontro. Farei constar.

— Para quem?

— Senhor Carvalho, não tenho nada a ver com o seu encontro desta madrugada. Digamos que não era gente da minha empresa. Minha empresa é séria e não tem interferências. Cada um tem a sua área bem delimitada. O que eles queriam?

— O mesmo que o senhor.

— Eu ainda não pedi nada. Eu vim oferecer.

— O quê?

— Proteção. Já sei que o senhor tem uma escolta de comunistas nobres e leais. Também sei que a polícia espanhola pode protegê-lo. Mas este é um jogo de muitos lados, senhor Carvalho. Descreva-me os seus companheiros desta noite.

Carvalho descreveu-os.

— Conheço o latino-americano. Um tipo perigoso, recém-convertido, que quer mostrar trabalho. O outro não. Devem tê-lo trazido especialmente para este caso. Tudo se complicou demais, senhor Carvalho. Há momentos em que eu mesmo preciso parar e me dizer: bom, com quem você está e contra quem. O senhor leu os romances de Le Carré? Eu sempre faço uma confusão com Le Carré. Smiley trabalhava realmente para o Intelligence Service? Jamais se sabe a origem do que encontra nem aonde se vai parar. Imagine que um dia Smiley descobre que está trabalhando para a KGB, qual seria a sua primeira preocupação? Saber se os quinquênios valem para a aposentadoria. Quero me aposentar logo. Faz 35 anos que estou neste ofício.

— A serviço de quem?
— Da humanidade.
— Para onde vai quando se aposentar?
— Para uma casinha que está me esperando junto ao mar, não lhe direi qual mar.
— Como podem me proteger?
— Depende do interesse que exista em protegê-lo. Depende do que o senhor der em troca.
— Querem saber especificamente como anda a investigação.
— É verdade.
— Sobretudo que os avise do assassino que submeterei à aceitação do meu cliente.
— Inteligentíssimo.
— Suspeito que tanto vocês como meus interrogadores de horas atrás já sabem quem foi realmente e querem estar preparados para tomar posições diante do assassino oficial.
— É um assassinato pouco comum. Está claro que prejudica o Partido Comunista da Espanha e os Comandos Operários. Mas a quem beneficia? Ao capitalismo monopolista internacional? A Moscou e sua estratégia para o sul da Europa? Pois é. Tanto uns como outros se beneficiam. O senhor já observou isso?
— Eu e todo mundo. Parece que estou lendo o editorial do *El País*.
— Mas isso não quer dizer que o crime tenha sido instigado por uns ou por outros. A política internacional se encheu de *outsiders*, e a primeira coisa que qualquer reizinho do mundo monta é um serviço secreto próprio e em seguida uma bomba atômica. Somente assim se fazem respeitar. Não é como antes. Quando eu comecei, somente as grandes potências estavam em condições de fazer esses esforços. Dava gosto. Agora o mercado se

encheu de improvisadores. Por exemplo, o que o Kadafi faz não tem nome: subcontrata agentes de outros serviços secretos. Assim mesmo. Assim se encontra agentes de um e de outro lado trabalhando na mesma causa. Isso não é sério.

Uma camareira dividiu seu olhar de soslaio entre os dois homens e deixou o carrinho com rodas a uma distância equidistante de ambos.

— O meu sobrinho está sem fome, mas eu comerei tudo.

A garota lhes desejou bom apetite e saiu.

— A sua reputação está a salvo. Considero muito os meus sócios.

— Quantos estão na fila? Depois do senhor, quem irá me pedir o mesmo?

— Duvido que alguém mais se atreva assim, diretamente, cara a cara. Mas seguem o caso a distância, disso eu sei, e em qualquer momento um *outsider* pode intervir. Nossa proteção lhe interessa. Essas geleias de hoje em dia não valem nada. Para o senhor será muito simples. A janela deste quarto dá para a rua. Quando tiver algo para nos dizer, vá até ela e sacuda uma toalha, qualquer uma.

— E se for à noite?

— Da mesma forma. Seguimos o senhor noite e dia.

— Ontem à noite também?

— Também. Não me importei que meus competidores se adiantassem. Tinha interesse em passar um bom tempo neste quarto, estudando estas pastas. Fez um cálculo da distância das mesas até Garrido e o tempo que a luz ficou apagada? Isso reduz os suspeitos aos que estavam sentados nas três primeiras fileiras e, além disso, aos situados perpendicularmente em relação a Garrido. Curioso que o criminoso se orientasse na escuridão. Notou isso?

— Diga-me o nome do assassino que lhe interessa.

— Eu não sei, nem sei que assassino interessa. Não domino o jogo. Mas sou um gato velho e me limito a dizer verdades objetivas para o senhor. Não vai sequer tomar uma xícara de café?

Serviu uma xícara para Carvalho.

— Suponho que agora o senhor vai entrar em contato com o Fonseca para relatar os dois encontros.

— Assim que o senhor for embora.

— Telefone, telefone. Não se faça de rogado.

— Gosto de tomar banho e de telefonar a sós.

— O individualismo estraga os espanhóis.

Levantou-se com a ajuda das duas mãos.

— Obrigado por me tratar amistosamente. Os seus colegas não foram tão amáveis.

— Pisam forte e são jovens. A experiência vale por uma faculdade. Não preciso recorrer à violência. Mas cuidado, senhor Carvalho, se for necessário lhe meto uma bala no meio dos olhos e não perco o apetite.

Aparentemente deu as costas para Carvalho para sair do quarto, mas um dos seus olhos fendidos controlou os movimentos de Carvalho até que a porta os separou.

— Las Rozas. Leandro Sánchez Reatain. Já saberemos quem é esse cavalheiro.

Fonseca passou o papel a Sánchez Ariño. *Dillinger* o pegou com muito interesse e saiu da sala a uma velocidade de cruzeiro. Fonseca observou satisfeito a diligência do seu ajudante.

— O senhor vê? Há um verdadeiro interesse em se chegar ao fundo deste assunto. Machucaram o senhor? Selvagens.

Carvalho sustentou o olhar para ver se havia ironia atrás da aquosidade do olho. Mas Fonseca parecia realmente a ponto de chorar imaginando os vexames que Carvalho havia sofrido.

– Além de tudo, significa um menosprezo da nossa soberania.

A senhorita Pilar moveu a cabeça sobre a máquina de escrever. Fonseca discou um número de telefone. "Com o senhor ministro", pediu.

– Senhor ministro, acabamos de sofrer um assalto, uma agressão a nossa soberania.

Contou para ele o que havia ocorrido com Carvalho.

– O senhor ministro se coloca a sua disposição – disse Fonseca tapando o microfone com a mão.

– Muito obrigado.

– Ele agradece do fundo do coração. Colaboraremos até o final. É claro, senhor ministro. O bom nome da corporação e da Espanha acima de tudo.

Desligou e levantou-se cheio de indignações abstratas.

– Não posso suportar que estrangeiro algum coloque as mãos em cima de um espanhol. Não suporto. – Suspirou e tapou o rosto com as mãos. – Acabarão mijando em nossas esquinas e cagando nos nossos túmulos.

– Pelas pistas que dei, não sabe a quais serviços secretos eles pertencem?

– Ai, meu filho, que pergunta. Em Madri, funcionam regularmente 24 serviços de informação de diferentes países e organizações internacionais. O senhor diz que um era gordo, muito gordo? Tinha os lábios assim?

– Não, não tinha os lábios assim.

– Tem certeza?

– Tenho.

– Então não é quem eu penso.

Sánchez Ariño entrou e lhe colocou um papel nas mãos.

— Santo Deus. Santo Deus. Santo Deus.

Carvalho levantou-se alarmado. Fonseca olhou-o sorridente, relaxado, divertido.

— Melzinho na chupeta. Ocorre que a casa existe, mas o seu dono não. Sánchez Reatain faleceu faz quatro meses num acidente de carro, e a casa está à venda.

— A geladeira tinha comida recém-comprada, e o balanço do jardim tinha sido engraxado recentemente.

— Andou de balanço?

— Sim.

Fonseca e seu ajudante se olharam.

— Andou de balanço — repetiu Fonseca tentando convencer-se. — Estranho. A casa segue sendo propriedade da família Sánchez Reatain e não a alugaram para ninguém. Muito estranho.

— É possível falar com a família?

— Inútil. Está espalhada. A mulher está na Suíça na casa de uma irmã, e os filhos estudam no exterior. Inclusive dispensaram a criadagem e contrataram os serviços de uma agência de limpeza uma vez por semana.

— Que agência de limpeza?

— Que agência de limpeza?

Dillinger assumiu a pergunta com certo tédio e voltou a deixar a sala.

— Pergunta interessante. Que agência de limpeza? Claro, daí deve vir a pista. O senhor é muito bom profissional. Percebe-se que tem escola. Não faço uma oferta para trabalhar comigo porque nem eu mesmo sei quanto tempo vou durar. Que tempos estes em que a infidelidade paga as maiores fidelidades.

— Gostaria de ter acesso aos arquivos confidenciais sobre todos os membros do Comitê Central do PCE.

— Se o senhor quer perder uma semana, não tenho inconveniente algum. Mas não acrescentará nada que já não saiba. Limitam-se a constatar a trajetória de delitos dessa gente até a legalidade. Eu teria de consultar meus superiores.

— Eu quero ver o que não é atividade de "delitos", como o senhor diz, mas a vida privada. Por exemplo, do que falam por telefone?

— Tem muita lenda sobre isso das escutas telefônicas. Somos um país pobre e não temos nem a tecnologia adequada nem funcionários suficientes para ficar atentos ao telefone de todos os vermelhos do país. Agora, se o senhor não generalizar tanto e me disser quero este ou aquele, cinco ou seis, isso é mais fácil de conseguir. Mas em quantidade não, não me peça o impossível. Não vai dizer que a esta altura não tem os seus candidatos?

— Troco pelos seus.

— Poderia estudar a oferta.

Os olhos lacrimejantes de Fonseca de repente se limitaram a estudar Carvalho.

— Eu tenho um candidato, ou melhor, dois. Mas sobretudo um.

— Quem?

— Vou ser franco com o senhor e em seguida deixarei a seu livre-arbítrio se quiser revelar os seus preferidos. Meus candidatos são Martialay e Marcos Ordóñez. A relação de Martialay e Garrido era péssima. O senhor sabe que o Garrido era por fora muito ocidental e muito liberal, mas lhe irritava perder o controle de qualquer centro de poder, e isso estava acontecendo com o movimento sindical. E quanto ao Marcos Ordóñez, aí tem uma história longa, rede intrincada. O senhor sabe de quem falo.

— Não.

– Não brinque.

– Não estou brincando.

– Marcos Ordóñez é um dos históricos, de antes da guerra. Era unha e carne com Garrido até que houve a luta pela sucessão no fim dos anos 40. Marcos Ordóñez não apoiou Garrido, mas sim outro que já morreu, um tal Galdón. Galdón perdeu, Garrido venceu e Marcos Ordóñez foi marginalizado até o ponto de ter que partir para a Tchecoslováquia para trabalhar numa fábrica. Eles não contaram as histórias de exílio dessa gente para os senhores, não é verdade? Somente contaram a parte heroica, como eram heroicos, como resistiam às minhas torturas, às torturas do verdugo Fonseca e tudo isso. Certo, certo. Sei bem. Mas tem muita merda nessas histórias de exílio, sobretudo dos dirigentes. Muitos ciúmes, grandes e pequenos. Muitos embates de famílias influentes dentro do partido. Depois do XX Congresso do PCUS, Garrido precisava de todo apoio possível para impor a desestalinização dentro do partido e começa a recuperar elementos para enfrentar a conjuntura dos stalinistas. Um dos elementos recuperados foi Marcos Ordóñez, mas em condições de prostração política total. Perceba, era um dos primeiros e não chega ao Comitê Executivo até 1973, bem dizer no final da vida, porque esse homem está mal, muito mal, muito tocado pelos sofrimentos morais a que foi submetido. Compreenda-o. Coloque-se no seu lugar. Coloque-se.

– Percebe-se que o senhor aprecia muito o Marcos Ordóñez.

– Por que diz isso?

– Porque vejo que se apieda da sorte dele.

– Não sou de pedra e estudei tanto essa gente, tanto, que não me são indiferentes, e graças à solidez dos meus princípios, sobretudo dos meus princípios católicos, pude resistir ao seu tremendo poder de sedução e não me tornei comunista.

Foi a senhorita Pilar quem começou a rir com pequenas gargalhadas, mas depois de uma breve, severa vacilação, Fonseca a seguiu com gargalhadas que chegaram a deixá-lo à beira da asfixia.

— La Urbana Matritense — disse *Dillinger*.

— La Urbana Matritense — repetiu Fonseca em voz baixa e lançou raios oculares de expectativa até o apático *Dillinger*.

— O que é isso?

— Uma empresa que faz a limpeza do chalé. Nada de anormal. É uma empresa familiar com mais de cinquenta anos de tradição.

— Você vai ver o que é tradição! Investigue, investigue!

Fonseca batia com o dedo rígido na lapela de *Dillinger*. Carvalho passou ao lado deles dizendo algo parecido com um adeus.

— Já vai? Prometo informá-lo imediatamente sobre o que descobrir.

Carvalho concordou.

— Mas da próxima vez não serei tão leal com o senhor. Eu falei, e o senhor não.

— Pelo menos uma vez trocamos de papel.

S ANTOS ESPERAVA SOZINHO por Carvalho, sentado à ponta de uma mesa comprida de reuniões. Diante dele amontoavam-se as obsessivas pastas azuis. Indicou-as a Carvalho e levantou-se para passear ao redor da mesa enquanto Carvalho auscultava as vísceras das vinte pastas.

— Se quiser, pode ir embora. Tenho trabalho para duas horas.

— Se não incomodar, vou ficar.

Carvalho tirou do bolso um bloco de notas e um mapa do salão do Hotel Continental. Colocou o bloco como se fosse a mesa da presidência e distribuiu as pastas segundo a posição que tinham ocupado na sala os militantes aos quais faziam referência. Em cada pasta havia uma fotografia e um histórico político e pessoal.

— Bom trabalho.

— Fiz sozinho. Não quis que ninguém metesse o nariz nisso.

Como se esperasse o resultado de exames, Santos continuava seus passeios observando de vez em quando as manipulações de Carvalho. Leu os currículos, fez anotações, finalmente separou as pastas e deixou as fotografias nos lugares teoricamente ocupados pelas pessoas que representavam. Olhava os rostos de um em um, fixando os olhos naqueles olhares banais de fotos de carteira de identidade ampliadas. Separou seis fotos e seis currículos e os colocou na outra ponta da mesa. Santos deteve-se e examinou as fotos com um sorriso cético nos lábios.

— São os suspeitos?

— Os mais suspeitos.

— Juan Sepúlveda Civit, Marcos Ordóñez Laguardia, Juan Antonio Lecumberri Aranaz, Félix Esparza Julve, Jorge Leveder Sánchez-Espeso, Roberto Escapá Azancot. Boa seleção. Parabéns.

— Levei em conta a posição na sala. Eliminei as mulheres e os velhos porque não estavam em condições de dar uma facada com essas características. Esses seis nomes não esgotam as possibilidades. Se não conseguir nada deles, continuarei até completar os vinte.

– Suponho que leu o histórico dessas pessoas. Por outro lado, observo que selecionou um veterano, o Marcos Ordóñez. Estava em condições físicas de fazer isso?

– Em teoria, não. Mas talvez estivesse em condições psicológicas. Segundo meus dados, Ordóñez colecionava ressentimentos contra Garrido.

– Contaram para o senhor sobre a depuração dos anos 50? Mas logo Ordóñez foi reabilitado e chegou a altos postos no partido.

– Segundo parece, por causa do desterro na Tchecoslováquia, Ordóñez inclusive perdeu a família. A própria esposa escreveu uma carta para a direção do partido renegando o marido e o acusando de titoísmo. Era muito grave ser titoísta?

– Até 1954 era muito grave.

– O que aconteceu em 1954?

– A nova equipe dirigente da URSS revisou a sua posição perante a Iugoslávia. Era o começo da desestalinização.

– O casal Ordóñez voltou a ficar junto?

– Não. Ela foi morar no interior. Foi presa em 1958 e não saiu da prisão até 1965. Anos demais.

– O que ela faz agora?

– Morreu em Bucareste faz dois anos. Estava arruinada fisicamente e a enviamos a um sanatório romeno.

– Tinham filhos?

– Ficaram com a mãe e, quando foi presa, desapareceram. Hoje não têm nada a ver com o partido. Acho que um é alfaiate em Barcelona e o outro tem um restaurante em Melbourne.

– Eles têm relação com o pai?

– Quase nenhuma.

– Uma linda história política para a grande honra e glória da disciplina militante.

– Lutávamos contra uma ditadura militar e não estávamos para brincadeira. Éramos duros, mas não só com os outros, também o éramos com nós mesmos. Eu não vi meus filhos crescerem; sou um estranho para eles. Nossos filhos cresceram graças à tenacidade das nossas mulheres, que viveram como viúvas de prisão em prisão, de tribunal em tribunal. Outros tiveram sorte pior do que a de Ordóñez. Ao menos com ele foi possível corrigir.

– Juan Sepúlveda Civit. Engenheiro industrial. Quarenta e dois anos. Militante da Frente de Liberação Popular incorporada ao Partido Comunista em 1965. Responsável pelo setor de profissionais durante quase dez anos até a territorialização. O que quer dizer territorialização?

– Quando o partido começou a crescer de forma quantitativa, passou-se da organização setorial à territorial, entre outras coisas para impedir certos desvios corporativos que começavam a se manifestar.

– Sepúlveda Civit. Conselho de guerra com Felipe em 1962. Tribunal da Ordem Pública em 1967. Expulso da Perkins, da Pegaso. Casado, dois filhos. Vejo que contribui com quatro mil pesetas por mês, é muito dinheiro.

– É um por cento dos seus rendimentos.

– Quatrocentas mil pesetas por mês. Nada mal.

– É um engenheiro de muito prestígio. O partido recorre economicamente a ele quando tem problemas: eleições, compras especiais.

– Segundo os meus dados, é um dos possíveis herdeiros de Garrido. Aqui diz que teve enfrentamentos com Garrido por causa do último congresso. Identificou-se com as posições "leninistas" frente às "eurocomunistas".

– Talvez tenha exagerado na informação. Viu-se a sua tendência, lógica neste caso. Sepúlveda é um grande militante, mas não pode prescindir de um condicionamento social e cultural que o força às vezes a adotar posições maximalistas. Os intelectuais costumam ser mais radicais que o operariado para se autoafirmarem. É preciso temer tanto os intelectuais soberbos que sempre sabem tudo como os humildes com complexo de inferioridade diante da classe operária.

– Conhece ele muito bem.

– É meu trabalho. Eu sou um burocrata, não esqueça.

– Casado e com dois filhos. A mulher não é militante, mas colabora de forma pontual e o ajudou ativamente durante a campanha eleitoral. É uma Lamadrid Raistegnac. Soa familiar.

– O pai dela pertence a vinte conselhos de administração e é conde de alguma coisa, um título pontifício.

– Os senhores estão muito bem relacionados. Sigamos. Juan Antonio Lecumberri Aranaz. Procede do ETA militar. Porra! Está ficando animado. Ele ingressou recentemente: 1973. Um passado violento, pelo que vejo, processado como integrante do ETA já em 1967, ferido num combate com a guarda civil. Economista. Hoje em dia é membro da Comissão de Finanças do partido. Liberado. Isso quer dizer que é um profissional do partido, suponho.

– Ajuda com as finanças do partido e também é um dos responsáveis pela organização. É um tipo um pouco conflituoso. Ultimamente, parece incomodado com o trabalho político e parece que vai pedir uma licença. Casou-se faz três anos, e a mulher não entende o voto de pobreza a que o marido a obriga. Poderia se dar muito bem na vida. É compreensível. Mas não me parece motivo suficiente para assassinar Garrido.

– Félix Esparza Julve. Quarenta anos. Já militava na Juventude em Bordeaux em 1953. Filho de exilados.

Vendedor comissionado. Casado. Três filhos. Foi profissional do partido no começo dos anos 60, em Paris e em Astúrias.

– Infiltramos ele em Astúrias depois das quedas de 1962 e 1963 para reorganizar o partido. Fui amigo do pai dele, um dos camaradas mais corajosos. Exilou-se em 1939, o colocamos clandestinamente na Espanha em 1944 como ponte com os guerrilheiros de Valência; o prenderam e o deixaram acabado. Morreu de tuberculose na prisão de San Miguel de los Reyes. Eu fui uma espécie de padrinho do Félix, do Julvito. Eu o chamo de Julvito. Por razões de militância, vivi mais com ele do que com meus filhos. Colocaria as mãos e os pés no fogo por ele.

– Pelos outros não? Como ficamos?

– Os outros merecem toda a minha confiança e juro que agora desejaria uma explicação sobrenatural para livrar todo mundo da culpa. Sinto vergonha de ter ajudado a elaborar estas pastas e de estar agora com o senhor em plena barganha da dignidade dos meus camaradas.

– Há um assassino num partido de duzentos mil militantes. A média não está ruim.

– Não. Não é esse o cálculo. Há um assassinato num Comitê Central de pouco mais de cem pessoas no qual está reunida e exaltada a história heroica do partido. Esse é o problema, o inexplicável problema.

– Paco Leveder Sánchez-Espeso. Vejo que o senhor tratou superficialmente da biografia dele. Qualifica-o de "contestador profissional". Por quê?

– É um apaixonado pela estética e sempre adota as posturas mais belas. Quanto ao restante, foi um militante muito combativo, tanto na universidade como na frente de intelectuais. Passou três ou quatro anos na prisão e deu a cara a tapa pelo partido sempre que foi necessário.

Está no Comitê Central porque tem bom cartaz entre os intelectuais.

– Aqui diz que ele votou contra o Garrido.

– No último congresso foi eleito o atual Comitê Central. Esse Comitê foi quem elegeu o secretário-geral e o executivo. Garrido foi eleito quase por unanimidade. O quase foi Leveder. Levantou o braço sozinho quando perguntamos se havia algum voto contrário.

– Não o mandaram para a Sibéria?

– É preciso admitir que neste partido acabou a unanimidade.

– Ele justificou o voto contrário?

– Sim. Pediu a palavra e justificou o seu voto. Disse que votava contra Garrido por uma questão de pedagogia elementar. Para educar os dirigentes carismáticos na evidência de que não são deuses. Eu acho que a explicação do voto incomodou Garrido mais do que o voto contrário. Explodiu. Explodiu da forma como ele explodia. Com essa carga de violência interior contida que se entrevia nas palavras. Desde então não tiveram boas relações. Eles dissimulavam com muita chacota, mas havia uma antipatia de fundo.

– Enfim, Leveder é o seu candidato.

– Não. Em absoluto. É um frívolo e um esteta. É possível matar por frivolidade e por estética? Na literatura e no cinema, sim. Na vida real, não.

– O Leveder está separado e tem uma filha. Separado de uma militante do PCE Internacional. Atua como professor de sociologia na Faculdade de Ciências da Informação. Aqui vejo que o senhor o chama de anárquico.

– Ele diz sobre si mesmo que é um liberal marxista, mas eu acho que é um democratista, um anarco metido a comunista por questões de eficácia histórica.

– Roberto Escapá Azancot, camponês da região de La Mancha. Eleito prefeito da sua cidade nas últimas eleições municipais. Trinta e cinco anos. Casado. Quatro filhos. Membro do partido desde 1970. Muito pouca informação.

– É um militante tenaz e responsável, mas sem uma biografia apreciável. É um dos grandes trabalhadores do partido. Ele sozinho é capaz de fazer toda uma região funcionar. Vale quanto pesa. Talvez tenha se esquecido de colocar que toca dolçaina e incentivou por toda La Mancha a recuperação desse instrumento.

– Garrido gostava de dolçaina?

– Nunca se pronunciou sobre o assunto.

CARA DE RÃ VELHA, sábia e cansada, a de Marcos Ordóñez, cara de basco anarquizado a de Lecumberri, sorridente e vendedora de depósito a face de Esparza Julve, a ironia como método de conhecimento no sorriso de Leveder, solidez agropecuária no rosto do queijo de La Mancha de Escapá Azancot e, sobre todas elas, a cabeça de ministro de Sepúlveda, uma cabeça de coletiva de imprensa e discurso programático, uma cabeça importante.

– Se não precisa de mim.

– Não. Não preciso.

– Passou esses nomes para Fonseca?

– Não.

– Fará isso?

– Não.

– Por quê?

– Não quero precipitar as coisas, nem pôr ninguém em perigo. Não quero pré-fabricar um Oswald.

– Obrigado pela confiança que demonstrou comigo.

Quando Santos Pacheco havia saído, Carvalho relaxou colocando as duas pernas sobre a mesa e fazendo a cadeira girar com uma parte da bunda. Conteve a tentação de pegar o telefone para chamar os seis investigados. Recolheu as pastas e as fotografias. Aproximou-se das vidraças da sacada e observou a rua arborizada com nome de rio. Ali estavam Júlio e seu colega apoiados no carro destinado a segui-lo. Uns metros atrás, aparecia um furgão branco. Carvalho o examinou distraidamente até se fixar no letreiro que exibia: *Urbana Matritense*. Apalpou a pistola junto ao corpo, pegou as pastas, saiu da sala, passou por alto o cumprimento de Mir ao qual correspondeu com um grunhido e foi diretamente a uma garota que digitava.

– Preciso de um saco grande em que caibam essas pastas.

Selou o saco com uma fita adesiva e recomendou à garota que o fizesse chegar até Santos. Saiu para a rua. Júlio e seu amigo seguiam ali. O furgão não.

– Acaba de sair um furgão?

– Sim. Agora mesmo.

– Vou com vocês.

– Não é o combinado. Mas vamos.

Carvalho dobrou e redobrou os apontamentos tomados sobre os seis homens e os meteu no bolso superior do paletó.

– Sigam como se fossem para a sede central do partido.

– Pela Castelló, homem, que é pouco conhecida.

O furgão seguia-os ostensivamente, inclusive ficando à altura do carro.

– Mantenha-nos à altura do furgão.

Carvalho baixou o vidro da janela e sorriu para o latino-americano, agora acompanhado do motorista. Sacou a pistola e apontou para o rosto do castrador obsessivo. Teve início a orografia facial do homem, atirou o rosto para trás e o furgão virou bruscamente para a esquerda.

– Acelere.

Pelo vidro traseiro contemplou a manobra do furgão para recuperar a rota.

– O amigo está brincalhão. Como se já não tivesse bastante confusão.

Júlio também tinha uma pistola na mão e olhava preocupado para Carvalho.

– É uma velha história. Estes filhos da puta que estão no furgão me pentelharam toda a noite.

Júlio substituiu a arma por uma caneta e anotou a placa do furgão.

– É inútil. Eles têm as costas quentes. Não sei como, mas têm as costas quentes e querem me mostrar que têm as costas quentes.

O furgão voltava a estar à altura do carro. O acompanhante do motorista baixou o vidro e apareceu uma mão que abanava um papel no ar. Carvalho tirou o braço para fora, pegou o papel e a mão.

– Acelere!

Ouviu o grito do homem ao quebrar o seu braço contra o canto da janela aberta. Carvalho ficou com o papel na mão e virou-se para ver como o furgão perdia velocidade e deixava que outros carros aumentassem a distância que os separava.

"Esta tarde às cinco no VIP da Princesa."

– Que asneira. Esse cara vai se lembrar do senhor.

– É um americano fodido que já se cobrou do que lhe fiz. Agora me deixe perto de um mercado.

– De que tipo?
– De coisas para comer.
– Um supermercado?
– Não, um mercado.
– Na Diego de León tem um pequeno.

Pediu que avisassem Carmela que queria vê-la no meio da tarde.

– Digam vocês um lugar.
– Ela vai muito ao La Manuela, em Malasaña.
– Às seis.

Na porta do mercado, um homem tocava "Los estudiantes navarros" com uma bandurra. A seus pés uma folha de jornal havia recolhido uma precária chuva de duros* e pesetas. Carvalho passeou pelo breve mercado com o interesse íntimo que pode sentir o visitante de uma pequena igreja românica. Os mercados de Madri dão uma lição de simetrias policrômicas em seus balcões, ritmos de penachos de cebolas ou de focinhos de atuns metalizados, trutas de cristal pintado com talento *liberty*, grãos-de-bico de porcelana. Comprou tripas cozidas, *capipota*, ervilhas congeladas, as primeiras alcachofras frescas do ano, uma cabeça de alho, amêndoas, pinhões, um tronco de atum carnal, uma lata de anchovas, azeite, cebolas, tomates e encontrou-se a si mesmo na porta do mercado com as mãos ocupadas num dia impróprio para ser enfrentado com as mãos ocupadas. Essa evidência tinha lhe assaltado na altura do homem da bandurra. Agora tocava *Maite, Maitechu mía...* Parecia um ferroviário em greve, cúbico de braços fortes e pernas frouxas, como todos os ferroviários. O homem olhava as sacolas que ocupavam as mãos de Carvalho e em seguida o olhava nos olhos, colocando dúvida e sarcasmo no

---

* Moeda de cinco pesetas. (N.T.)

olhar. Carvalho largou as sacolas no chão e deixou cair cem pesetas sobre a folha de jornal. Os olhos do músico encheram-se de gravidade e tocou mais devagar, com mais precisão. A música ficou afogada pelo barulho do tráfego enquanto Carvalho subia pela ampla calçada e se perguntava o que fazer com as sacolas de comida. Parou um táxi.

– Vá até o hotel Ópera e diga ao concierge que leve estas sacolas para o quarto 311.

– O que tem dentro?

– Um jantar para dois.

O taxista espiou o conteúdo.

– Não é que desconfie, mas acontece cada coisa.

Sorriu diante da gorjeta.

– Vou voando. E bom proveito!

Carvalho enfiou-se numa cabine telefônica que não tinha telefone, depois em outra cujo telefone tinha os nervos estraçalhados e as tripas para fora; finalmente conseguiu que o deixassem telefonar de um bar após ter consumido uma porção de amêijoas vivas e meia garrafa de vinho branco de Rioja gelado.

– Não têm vinho da Rueda?

– Não. Ou Valdepeñas ou Rioja.

Madri é uma cidade vinicolamente predeterminada. Foi o último pensamento banal que teve antes de se fechar na cabine do bar e começar a marcar encontros com os seis homens da lista. Telefonou para o Comitê Central para que localizassem o homem de La Mancha e o colocaram à sua disposição no dia seguinte.

– É um dia ruim para mim. Estou preparando as aulas de amanhã. Estou rodeado de estudantes vorazes que só pensam em estudar e no futuro. Talvez pudéssemos comer juntos. Qualquer coisa.

– Eu nunca como qualquer coisa. Convido você para almoçar no Lhardy.

– Saiu o catorze na loteria*?

– O partido paga.

Leveder sabia escolher um cardápio, mas fazia esforços expiatórios para esquecer isso. Reprimiu seu impulso inicial de assessorar Carvalho e deixou-o escolher com certa inquietude, a distância. Aprovou com os olhos as escolhas de Carvalho, e ele pediu um caldo de rabo de boi e salmão fresco na brasa.

– Tenho úlcera. Caso contrário, pediria o mesmo que você.

Carvalho havia pedido caviar iraniano e dobradinha à moda madrilena.

– Muito bem – afiançou Leveder muito convencido. – Tendo em vista que o melhor caviar é iraniano e a melhor dobradinha é a do Lhardy. Quando retornar a Barcelona, pode levar um pouco de dobradinha na gelatina. Eles vendem lá embaixo, na loja. Vai partir logo?

– Quando terminar. Não fico por querer.

A ambientação do Lhardy emoldurava a comida num ambiente satisfatório de clube privado inglês decorado por um decorador de interiores francês neoclássico, de meados do século XIX tardio, com gosto discreto. Um ambiente ideal para pratos fumegantes, mas talvez pouco adequado para pratos frios.

– Excelente cenário para falar do partido.

Leveder piscou um olho e levou aos lábios a sua taça de água mineral.

---

* O número catorze é o bêbado na quiniela (loteria) espanhola. (N.T.)

— Uma água mineral magnífica. Colheita de 1972. É um grande ano para as águas minerais. Por outro lado, evite as de 1973, pois choveu pouco e têm gosto de restos de poço. Não coloca manteiga no pão torrado?

— Acho uma estupidez quando o caviar é tão cremoso como este.

Carvalho repetiu a taça de vodca gelada e deixou que Leveder se ensimesmasse, como se buscasse dentro de si mesmo a resposta ao porquê do encontro. Leveder voltou ao Lhardy, a Carvalho, inclusive inclinou-se até ele para dizer:

— O senhor me escolheu como o principal suspeito?

— Como interlocutor.

— A velha guarda me denunciou? Não é que tenham aversão por mim, mas falamos linguagens diferentes. Eu jamais emprego palavras como condições objetivas, reposicionamento, tecido social, é preciso conseguir as melhores condições, a classe operária paga o preço da crise, entende? Não é que não acredite na verdade que existe atrás de toda essa linguagem, mas me esforço em procurar sinônimos. Em toda tribo não há algo tão alarmante como as violações do código linguístico. Talvez por isso eu seja suspeito. Além disso, tinha votado contra Garrido, o senhor já deve saber. Mas não o matei. Tenho um grande apetite histórico, gostaria de ser Napoleão ou a Virgem Maria, mas me falta a decisão final, sobretudo quando se trata de praticar o tiranicídio.

— Garrido era um tirano?

— Um tirano científico, como todos os secretários-gerais dos partidos comunistas. Exercem a tirania não por mandato divino, mas por mandato do Comitê Executivo, que por sua vez exerce por mandato do Comitê Central, que a exerce por mandato do partido, que a exerce por mandato da História. Como terá percebido, sou trotskista e agora vai me perguntar o que faz um trotskista como você num partido como este? Vamos, pergunte.

– Dê por perguntado.

– Evitar a tentação de entrar num partido trotskista. Já disse Che: se for preciso errar, é preferível errar com a classe operária. Eu sempre preferi estar onde estivesse a vanguarda objetiva da classe operária real e abandonei muita gente, por exemplo, o meu irmão, que é presidente do clube de tiro de Coria e senhor de metade da província, e a minha mulher, que é marxista de grupelhos. Passou por todos os partidos comunistas pequenos porque tem muita capacidade de se enternecer. Gosta dos partidos de esquerda que são uma gracinha. Quando éramos namorados, se eu queria deixá-la feliz, dava de presente cadeirinhas, cafeteirazinhas. Lembro que o presente que mais a encantou foi uma cafeteira italiana que só fazia café para duas pessoas. Na política era igual. Aderia à causa de todo aquele que montava um partido de esquerda com dois tostões de marxismo. Agora acho que é anabatista marxista-leninista ou algo do gênero. Senhor Carvalho, eu gosto de me equivocar em grandes medidas. Aqui onde estou eu me corresponsabilizo por todos os crimes de Stalin e por todas as colheitas ruins soviéticas desde que começou a destruição dos gulags e dos pequenos proprietários rurais. Não me corresponsabilizo pelos otários como a minha mulher ou o Cerdán, que saem por aí montando postos de mesquinharias ideológicas ou inventando o marxismo jeremisíaco à moda do Cerdán. É obsceno. Saem por aí mostrando os dodóis e dizendo: fomos traídos. Merda. Vão tomar no rabo, e bastante.

Leveder estava realmente indignado.

– Por tudo o que eu disse, o senhor deduzirá que não matei o Garrido. No fundo, eu tinha um grande carinho pelo velho, mesmo que estivesse perdendo o respeito histórico por ele. Na sua idade e na sua condição, deveria ter impulsionado uma reforma real do partido. Tinha de haver levado a desestalinização até as últimas consequências, chegar a essa identificação base-direção sem a qual qualquer projeto de partido de massas é uma farsa. Tinha de haver aproveitado o *seguidismo* herdado da clandestinidade para impulsionar uma revolução cultural interna, cultural, insisto, porque cada partido comunista tem uma cultura interna, uma consciência da sua identidade condicionada por sua evolução como intelectual orgânico. Entende? O senhor acha que essa cultura interna pode ser a mesma num partido influenciado por Gramsci e Togliatti e num partido influenciado por Thores e Marchais no qual botaram para fora por ordem de aparição na cena Nizam, Lefebvre, Garaudy?

– Para o senhor, então, o Garrido era um freio.

– Sim, porque estava sozinho. Foi deixando na sarjeta pessoas valiosas que poderiam tê-lo ajudado nesta batalha, mas na hora de travá-la estava rodeado de gente que não podia nem queria ajudá-lo a adaptar o partido. Além disso, não confiava em quem não lhe dizia sempre amém. A sorte estava lançada. Poderíamos ter seguido assim, nesta situação de impasse, nem alhos nem bugalhos, nem carne nem peixe até o ano 2000. Agora pelo menos será preciso escolher, será preciso decidir.

– Quem é o seu candidato?

– Qualquer um, menos o Santos.

– Por quê?

– Porque é um homem limitado que praticará a necrofilia com o Fernando Garrido. Prefiro que ganhe um alpinista que tenha visão da realidade.

– Quem é um alpinista?

— Todos e ninguém. Um alpinista num partido como este sempre é um alpinista relativo. Os alpinistas completos estão nos partidos que hoje podem vencer.

— Há alguém suficientemente alpinista a ponto de matar para conseguir o cargo.

— Não. É um raciocínio estúpido. Este assassinato não foi contra o Garrido, mas contra o partido. Quem pode querer assassinar um partido para possuí-lo?

— Mas o assassino é um dos senhores.

— O assassino é um traidor. Não é preciso ser um lince nem detetive particular para entender isso.

Carvalho colocou sobre a toalha, a poucos milímetros do sorvete Marc de Champagne, o esboço da sala da morte do Hotel Continental. Traçou um círculo diante da mesa da presidência.

— Deste círculo saiu o assassino, se calcularmos o tempo que teve. Examine os nomes que estão escritos aqui. Quem é o traidor?

Leveder olhou fixamente Carvalho, depois cravou os olhos no papel, examinou mais do que leu cada nome. Em seguida deixou-se cair contra o encosto da cadeira, suspirou e parecia ter lágrimas nos olhos.

— O senhor paga a conta?

— Sim.

— Então me desculpe.

Levantou-se e foi em busca das escadas da saída.

— Às CINCO TENHO reunião com a comissão parlamentar, às seis tenho que estar em San Cristóbal para tentar convencer uns camaradas de que a classe operária polaca não está sendo paga pela CIA. Às oito se reúne o Comitê Executivo para acertar os detalhes da próxima reunião do comitê, na qual será eleito um secretário-geral provisório e será convocado um congresso extraordinário. Com muita sorte espero estar na minha casa às quatro da madrugada. Não se surpreenda se lhe digo que tenho pouco tempo.

Sepúlveda Civit ainda cheirava a desodorante misturado com loção facial. Pulcritude, musculatura, eficácia, um sentido perpendicular da existência que era notado nele nas escassas intervenções que o protagonismo de Garrido lhe permitira. Podia ter continuado seu programa vital: às sete horas levantarei para fazer *footing* ou talvez *jogging*? Às oito tomarei café com as crianças e as levarei ao colégio: é a única maneira de vê-las. Às nove entrarei no meu escritório de engenheiro a serviço de Entrecanales y Tavora, mas às onze me esperam na prefeitura, sou conselheiro de Transportes. À uma devo discutir com o gerente de Entrecanales y Tavora a possibilidade de abrir um túnel em Salardú sem que ocorra um aplanamento dos Pirineus. Às duas... Carvalho lembrava-se de uma canção da época de adolescência: à uma sai a lua, às duas sai o sol, às três sai o trem, às quatro sai o gato, às cinco São Francisco, às seis a sua mulher, às sete nela se mete, às oito pelo coito, às nove sai o bebê, às dez outra vez. Sepúlveda Civit não adivinhava a muda canção que entretinha o silêncio de Carvalho, mas adivinhava que o detetive não considerava seriamente os seus problemas temporais. Olhou o relógio digital e, como se olhá-lo tivesse sido um sinal, o relógio começou a emitir uma musiquinha espacial que lembrava vagamente o toque de recolher. Alçou um olhar crítico para o rosto de Carvalho. Vê só? A música me avisa, me persegue, e o senhor está aí silencioso, sem dizer nada.

– O senhor disse alguma coisa?

– Desculpe, mas costumo ter digestões pesadas.

— Faça como eu, como muito pouco. Um sanduíche natural e raramente com carne, um copo de leite, um suco de frutas, café e ao trabalho. Depois compenso na hora do jantar, quando não tem reunião, claro. O problema é que sempre tem reunião. Para fazer política é preciso ter traseiro de ferro. Chamam Berlinguer de "*culo di ferro*".

Carvalho colocou diante da sua vista o mesmo mapa geral do salão do Continental que havia mostrado a Leveder e assinalou o círculo.

— O senhor estava sentado aí dentro.

Contemplou minuciosamente o mapa.

— De fato. E me antecipo ao que vai me dizer. Foi desta zona que o esfaqueador partiu. Olhe.

Abriu uma gaveta e tirou um mapa exatamente igual ao de Carvalho. As cadeiras estavam pintadas de diferentes cores segundo a proximidade da mesa da presidência.

— Fiz um dos meus ajudantes calcular os tempos de deslocamento em relação às distâncias. As possibilidades são múltiplas porque dependem de fatores como idade, além da situação. Inclusive concebi uma fórmula matemática. Aqui está.

— É linda.

— Se quiser, posso explicar.

— Minha última relação com a matemática foi uma reprovação na escola, em seguida me dediquei às Letras.

— É possível ser detetive particular sem saber matemática?

— Asseguro ao senhor que me viro com a aritmética.

Nem um sopro de sorriso naquelas feições de executivo da revolução pasteurizada.

— Vamos ver se o senhor com a matemática e eu com a aritmética chegamos a conclusões parecidas.

— Pelo traçado do seu círculo, vejo que sim, mesmo que eu possa demonstrar que alguém das laterais teve tempo de chegar, matar e voltar a seu lugar antes que as luzes voltassem a se acender. O problema segue o mesmo. A orientação. Puderam se orientar melhor os que estavam numa disposição perpendicular à mesa.

— Orientar-se como? A sala estava às escuras.

— Esse é o xis, e eu tenho isso claro. O Garrido estava fumando. O assassino se orientou pelo breve brilho da brasa do cigarro.

— Muitos estão dispostos a jurar que fizeram o Garrido apagar o cigarro antes de entrar na sala. De qualquer modo, o assassino não podia confiar num fator tão instável. Podia projetar que ele não fumaria atendendo à proibição expressa de não fumar. E, de toda forma, é muito difícil orientar um golpe tão hábil com uma iluminação tão fraca.

— Com treinamento tudo é possível, e o golpe foi dado por um especialista.

— Um especialista que treinou à luz de uma bagana.

— É preciso resolver o problema do sinal, eu o aconselho. Resolva isso e o caso estará resolvido. Todo o resto é perda de tempo, inclusive estes interrogatórios com suspeitos ocasionais.

— O senhor aceita ser um suspeito ocasional?

— Aceito. É uma verdade objetiva e nós, marxistas, acreditamos nas verdades objetivas. Se não há sinal para orientação, a única possibilidade é que o assassino tivesse olhos de gato capazes de orientá-lo em plena escuridão.

— Outro sistema é o do testamento.

— De que testamento está falando?

— A quem o testamento beneficia? É a primeira pergunta que costuma ser feita nos romances policiais.

– Lamento contrariá-lo. Isto não é um romance policial. É um romance político, e o assassino tratou tanto de destruir um homem como de desacreditar o seu testamento.

– Isso todos me dizem.

– Basta ser racionalista. Nem sequer é necessário aplicar o materialismo dialético.

Disse isso com certo sotaque madrileno, marcando as sílabas, separando-as a golpezinhos de ar. Os madrilenos falam como os chineses, não sei quem havia dito isso alguma vez.

– Vamos voltar ao testamento, por precaução. Às vezes as perguntas clássicas são as que tornam possíveis as respostas verdadeiras. A quem o testamento beneficiava?

– Vai procurar um delfim político? Não seja ingênuo. Este jogo não é assim. E não me olhe. Nunca fui um delfim. Nós, intelectuais, temos um grande peso neste partido porque oferecemos sabedorias concretas e uma capacidade de teorizar. Mas seguem desconfiando de nós. Não esqueça que foram os intelectuais que colocaram o movimento comunista em atividade e não confiavam na sua própria sorte. Mesmo Lenin. E a mãe do cordeiro, o próprio Marx, disse coisas duríssimas contra os intelectuais. Da nossa parte, temos complexo de culpa e sabemos que temos de ceder o trono a alguém que, por suas origens, esteja mais próximo da classe operária. Talvez no ano 2000, quando a classe operária for outra coisa e tiver desaparecido em sua acepção tradicional, tal como vislumbrou Adam Shaff. Mas por agora a classe operária é a classe operária, ainda estamos longe desta mudança da formação econômica condicionada pelo automatismo, pela revolução de microeletrônica, me segue?

Por que não me perguntou se ele se explicava e não se eu o seguia ou entendia? Sepúlveda voltava a consultar o relógio. A aula havia terminado. Carvalho ainda teve forças para levantar o dedo.

– Posso fazer uma pergunta?

– Sem dúvida, se for apenas uma.

– Como o senhor teria sinalizado Garrido para apunhalá-lo?

O engenheiro estava levantando e voltou a se deixar cair em sua cadeira giratória.

– Não sei. Mas, insisto, o Garrido tinha um sinal. Lembro perfeitamente, um ponto de luminosidade. Repito. Um ponto de luminosidade.

NÃO HAVIA ENTRADO numa livraria desde que em Amsterdã viu-se obrigado a fazê-lo para vigiar um dos implicados no caso da tatuagem. Derramou um olhar de ceticismo crítico sobre todas as novidades exibidas nas prateleiras da livraria do VIP da Princesa, mesmo que em seguida tenha mordiscado com os olhos alguns títulos. Mais cedo ou mais tarde teria de se atualizar para comprar e queimar livros com conhecimento de causa. A sua etapa de consumidor-leitor havia cessado no começo dos anos 70, desde aquele dia em que surpreendeu a si mesmo escravo de uma cultura que o separara da vida, que falsificara a sua sentimentalidade como os antibióticos podem destruir as defesas do organismo. De canto de olho, viu como o centro-europeu da noite aproximava-se e procurou com o olhar o centro-europeu do dia. Não podia estar longe. O homem conservava a frieza de horas atrás. Posicionou-se junto a Carvalho e pegou um livro vermelho de uma das pilhas oferecidas. *Comunismo em liberdade,* de Robert Havemann.

– Não gostamos nada do que o senhor fez com o nosso companheiro.

– É preciso escolher melhor as companhias.

– Ao fim e ao cabo o senhor saiu ileso, e ele quebrou o braço em dois lugares.

– Um braço dá para muita coisa.

– Queremos saber o que o gordo lhe disse esta manhã no hotel.

– Comeu todas as minhas torradas. Não teve tempo de dizer nada. A propósito, se uns estão tão por dentro do que os outros fazem, por que não atuam em conjunto? O gordo está por aqui?

– Se não está, deve estar alguém da sua laia. Não se faça de esperto. Não se sinta protegido por nossa competição. Quando menos esperar, vamos esmagar os dois de uma vez. Não faça duas apostas. Como vai a investigação?

Carvalho conteve uma resposta sarcástica. Um bloqueio de indignação e repugnância fechou a sua boca. Um remoto centro nervoso lhe enviava a ordem para arrebentar a boca daquele grande filho da puta, que a transformasse numa caverna sangrenta e melada de um bebezão de merda. Sentiu um cotovelo nos rins e não era o cotovelo do seu interlocutor. Virou a cabeça para ver o perfil de ratazana do homem que cravava o cotovelo do mesmo braço que segurava um livro cuidadosamente observado.

– É seu amigo?

– Não. Mas me convém, para evitar a sua tentação de fazer bobagens. É melhor se convencer. Não pode nem se mover. É facílimo. Basta nos passar a informação no momento adequado. Nem o senhor nem os seus patrões perderão nada com isso. A propósito, almoçou com o

Leveder e depois teve uma entrevista com o Sepúlveda. Algo interessante?

– Rotineiro.

– Suspeita deles?

– São pessoas que sabem falar e dá gosto escutá-las. Meu pai sempre recomendava que me relacionasse com gente mais velha e com mais sabedoria. Pode dizer ao seu amigo para me largar? Vão achar que somos maricas.

– Repito que não conheço este senhor, mas não esqueça o combinado. O homem do braço quebrado se lembra muito do senhor e sonha com o momento de pegá--lo por sua conta. Contou a Fonseca do nosso encontro?

– Sim. Ganharam um péssimo inimigo. Fonseca odeia os senhores. Sustenta a teoria de que não precisamos de torturadores importados. É um grande profissional. Tenho vontade de fazer uma pergunta para vocês. Posso?

– Vá em frente.

– Por que a geladeira daquela casa está tão cheia de pêssego em calda?

– Eu não sou o responsável pela administração.

– Além do mais, um pêssego em calda vagabundíssimo.

– Sinto muito. Protestarei pela via regulamentar. Voltaremos a nos encontrar.

Carvalho revolveu-se bruscamente e deu um empurrão no homem-ratão que estava apertando os seus rins.

– O que está tocando, bichona? Este asqueroso está me tocando!

Pegou o homenzinho pela lapela em meio à curiosidade do círculo bruscamente formado.

– Ai, meu Deus! O que este bom moço tem contra as bichinhas! – disse uma voz do público acolhida por uma risada geral.

O homem-ratão deixava-se sacudir por Carvalho sem mover nem um único músculo do rosto, com os olhinhos pretos e frios cravados como agulhas nos olhos acesos de Carvalho.

– Chamem a polícia! – pedia Carvalho congestionado, com as veias das têmporas como cobras.

– Solte ele, seu quadrado! Quanta pretensão! – voltou a falar a voz afeminada, e o público abriu um corredor até o moço com chapéu de três pontas, echarpe de seda branca e capa marrom de Évora, que lançava estalidos com a língua e um bastãozinho com incrustações de nácar. O homem-ratão aproveitou a mudança de atenção do público para mastigar algumas palavras à altura do nariz de Carvalho.

– Um minuto a mais de gozação e ficará sem as tripas.

Uma das mãos metida no bolso fundo do capote empurrava o focinho de uma pistola contra o baixo-ventre de Carvalho. O detetive o empurrou com nojo.

– Sai, sua bicha de merda.

O homem-rato ajeitou o terno, lançou um olhar tranquilo sobre a audiência e foi embora sem forçar o passo. Carvalho não teve tempo de observar a sua saída porque veio para cima dele o garoto do chapéu de três pontas reclamando a sua atenção e lhe dando pauladinhas no braço com o bastão.

– Não se pode ser tão macho. Em que país você acha que vive, Mister Universo? Aquele homem lhe tocou com respeito e em troca você o insultou como aquilo que você é, um grosso asqueroso.

– Some da minha vista, espantalho.

– Ordinário, é um ordinário.

– Chega de desordem!

O guarda do VIP empurrou suavemente o irritado defensor de bichas.

— E o senhor, se quiser reclamar de algo, vá à direção, mas não perturbe.

— Do que ele pode reclamar? Perdeu a virgindade? — perguntou o do chapéu com os nervos tensos como um violino.

— Já disse pra calar a boca, asquerosa!

O guarda havia apoiado as palmas das mãos sobre o peito do jovem e quase imediatamente foi atirado e bateu com os rins contra uma estante cheia de livros de culinária. A escultura da Bohemia se decompôs entre uma avalanche de volumes rígidos que vieram por cima dele. Carvalho viu as brancas e magras panturrilhas inseridas sem meias em dois mocassins com as solas destruídas pelos solos mais duros e noturnos de Madri e não teve coragem para seguir olhando aquele rosto cheio de lágrimas que emergia dos escombros de livros, com a antiquada dignidade de um condenado à berlinda.

O MOVIMENTO CONSISTE não em se mover, mas em ser movido. Onde estão me levando? Uma angústia de Getsêmani* o atirou desorientado pela calçada. Esperarei aqui para me entregarem o bode expiatório. Foi este. Não, foi este. Andou em direção à Moncloa com voluntária lentidão para dar tempo que o alcançassem ou seguissem todos os que fatalmente o alcançariam ou seguiriam. O que está esperando para aparecer, gordo? Não apareceu. Carvalho enfiou-se numa cabine de telefone e ligou para Biscuter. Tudo segue igual? E Charo? Diga a Charo... Não. Não lhe diga nada. Como

---

* Jardim situado no sopé do Monte das Oliveiras, em Jerusalém, onde se acredita que Jesus e seus discípulos tenham orado na noite anterior à crucificação. (N.T.)

estão as Ramblas? Que tal é a comida em Madri, chefe? Não abuse da dobradinha. Lembre-se do seu fígado. A dobradinha faz bem para o ácido úrico. Biscuter não se deixava convencer. Você está olhando as Ramblas? É quase noite, chefe. Biscuter cheiraria a porto, esse cheiro especial dos anoiteceres de outono que sobe da Puerta de la Paz e lembra aos barceloneses seu destino marinho, lhes devolve a imagem de assombrados contempladores dos seus próprios pés enfiados na bacia mediterrânea. Uma senhora perdeu a filha, chefe. É uma contorcionista. A senhora? Não, a filha. Perdeu-se em Marbella ou em Tunes. O senhor a encontraria, chefe? A mulher está inconsolável. Uma contorcionista pode se perder em qualquer lugar. O que é uma contorcionista, chefe? Uma pessoa que pode por um pé na nuca e meter o outro no bolso. Isso parece uma piada de Forges, chefe.

– Terminei por hoje. Podemos ir para a sua casa?

– Para a minha casa? Bom. Não há inconveniente. Mas primeiro tenho que passar pelo grupo, pegar o garoto na casa da minha tia e brigar um pouco com meu marido.

No café Malasaña há vinte ex-comunistas anarquizados, outros vinte ex-anarquistas neoliberalizados e dois garçons com cara de quem joga Banco Imobiliário de dia e luta de classes à noite. Mas todos pareciam disfarçados de garotos e garotas fugitivos de casa, de que casa não importa, obrigados a posar para a *Malasaña way of life*.

– No meu tempo aqui não se chamava Malasaña.

– Sob o franquismo, até os bairros eram chamados de Espanha. Mas aqui foi sempre Malasaña, desde muito antes que escrevessem *La verbena de La Paloma*.

– Por que entrou na moda?

– Porque é velho sem ser arqueológico e se instalaram aqui muitos casais jovens progressistas profissionais, daqueles que tiveram um filho nove meses depois de maio de 1968.

— Posso acompanhá-la ao grupo e ir com você buscar o filho e o marido?

— Pode.

— Primeiro preciso passar no hotel e pegar umas sacolas. Tem azeite na sua casa?

— Azeite e manteiga. Tudo o que é necessário ter.

Ao chegar à porta do hotel, Carmela despediu-se de Carvalho com um olhar em que continha a pergunta e a resposta e, logo, quando Carvalho apareceu com as sacolas de compras, Carmela transformou a ruga de preocupação em uma escarpa alpina.

— O que é isso?

— Se não for inconveniente, convido você a jantar na sua casa e eu cozinho.

— Que Europa, que nada. Americanos é o que vocês, catalães, são. Uau, que emoção. Pode-se saber o cardápio?

— Tenho que acabar de amadurecê-lo, conforme as coisas aconteçam.

— O local do grupo cheira a morcela de arroz porque o encarregado do bar é de Aragão e ali as morcelas são de arroz.

— Algumas, sim.

Carmela não abriu a boca durante um percurso gago pela Madri do horário de pico, cheio de urbanos sábios irritados pela onipresença dos jipes e dos caminhões militares, esponjas cáqui que absorviam as negruras noturnas salpicadas por luzes frias e tristes.

— Senhorita, não viu a luz amarela?

— Ver eu vi, mas pouco, porque em seguida desapareceu.

– A senhorita acha que brincamos de esconder com os semáforos?

– Não grite comigo, que este senhor é de Barcelona e vai pensar que está na África.

– Pois vamos ver se é possível notar que é de Barcelona porque dizem que ali dirigem como na Europa. Vamos ver se ensina algo para a senhorita.

O guarda não entendia as gargalhadas de Carmela e estava a ponto de dobrar a multa que rabiscava no talonário. Uma vez longe do alcance do policial, Carmela seguia rindo aos borbotões, como se contasse a si mesma uma história digna da mais total hilaridade.

– Se me contar, podemos rir os dois. Achei que você estava de luto.

– Aquilo do azeite!

– O que tem o azeite?

– Eu lhe disse que tinha manteiga!

E seguia a risada que cegava de lágrimas os olhos carbônicos da garota.

– Quer entrar? É um grupo muito bom. Hoje tem um debate sobre política de blocos e vai ser animado. Quando tem um tema assim, a velha guarda se mobiliza e vem com toda a corda. Acreditam que o eurocomunismo tem a culpa da paralisação. Eu não vou ficar para todo o lero-lero, mas podemos ouvir um pouco.

Por trás da porta de correr metálica erguida e enrolada, outra porta de vidro se abria a um bar, diria-se convencional, a não ser por destacar nas paredes fotos de Marx, Lenin, Garrido e cartazes de propaganda da festa do *Mundo Obrero*. As pessoas se infiltravam por um corredor até o salão de atos enquanto os atrasados deixavam sobre o balcão o pagamento das consumações. Carmela ia e vinha de orelha em orelha, deixava aqui um comentário, ali uma cortesia ou um sarcasmo.

Uma piada premente deixou Carmela séria, e Carvalho, por sua vez, observava a liturgia da comunicação entre a direção e a base. A direção à direita, 75 quilos, cabelo à moda *beatle* com dez anos de atraso, quadro jovem, profissional, boa voz, facilidade para construir sintaticamente com a ajuda talvez excessiva de "de alguma forma" ou "a nível de". A base à esquerda, cinquenta ou sessenta pessoas com uma média de cinquenta anos imposta por um correto equilíbrio entre sessentões e quarentões, operários em sua maioria da área industrial, esposas fascinadas pelo ritual e ao mesmo tempo em vias de emancipação graças a perguntas feitas nem sempre a partir da condição feminina: Você acha, camarada, que existe justiça? Até quando nós, trabalhadores, pagaremos pela crise econômica?

– Este ato se reveste de um significado especial. É o desejo da direção de que o assassinato do nosso camarada secretário-geral Fernando Garrido não interfira no desenvolvimento normal das nossas atividades. Cada ato programado irá ocorrer. É a melhor resposta que podemos dar aos provocadores.

Falava o quadro na faixa dos trinta, com algumas aproximações aos quarenta junto aos olhos, um tom retórico de discurso repetido e a impressão final de que iria agir como um paredão diante das queixas de uma base da qual se tinha roubado, para sempre, o sonho do assalto ao Palácio de Inverno. Não é que sustentemos uma posição equidistante entre os dois blocos, um comunista deve saber que um bloco nasce para agredir, e o outro para se defender. Mas cair nesse jogo como se fosse uma fatalidade histórica significa paralisar a luta emancipatória de cada povo do mundo à espera de que se resolva o enfrentamento entre os blocos ou de entrar numa zona de influência de um dos dois. Não esqueçamos que nós, os espanhóis, estamos na zona de influência do bloco capitalista e que não podemos aceitar esse dado objetivo como uma fatalidade, mas como uma verdade objetiva que condiciona a nossa estratégia. A história mostrou que não existe um modelo único de implantação do socialismo, e nós acreditamos que as liberdades democráticas são instrumentos para chegar a um socialismo na pluralidade, um socialismo em liberdade.

– Antes de tudo, quero a liberdade de poder trabalhar e poder comer e de não viver como um animal.

Foi a primeira intervenção da base. A segunda, numa voz feminina de uma mãe abundante e decidida como Deus no momento de criar alguma coisa:

– Superar a política de blocos. Muito bem. Eu concordo. Mas como? Os blocos estão aí, e um dia desses os imperialistas iniciam uma agressão aos socialistas. O que fazemos?

O jovem quadro respira fundo, joga-se para trás até encontrar o encosto da cadeira e assumir a pergunta que lhe servem de bandeja.

– Nesse dia faremos o que nunca colocamos em dúvida. Lutar contra o imperialismo.

Cotovelaços de cumplicidade entre a base. Movimentos de cabeça concordando. Impressão geral de que o eurocomunismo foi salvo. Mas Carmela adverte Carvalho de que devem ir embora, não entende a resistência inicial do homem, por que ele hesita para escutar a próxima pergunta que adivinha complicada, porque o velho interrogador começa contando que lhe deram a carteira do partido num bar da Rua Hortaleza em junho de 1936.

— Parece que estava gostando.
— Por um momento pensei que não tinham se passado 24 anos da minha vida e que a reunião de hoje acontecia no dia seguinte àquele em que deixei o partido.
— Ah, mas você fez parte disto tudo?
— Fiz.
— Pois não tem cara.

O filho de Carmela é loiro como todas as crianças loiras de Madri. A supervisora da creche sugere que Carmela vá buscá-lo antes porque teve que ficar *ex professo*. O filho de Carmela conta para a mãe que as galinhas voam pouco.

— Quem disse isso para você, coração?
— A senhorita. Por isso não precisa colocá-las em gaiolas como os periquitos.

Naturalmente o garoto aponta para Carvalho e pergunta: Mamãe, quem é esse? E, diante da demora de Carvalho em responder, Carmela diz a ele que é um senhor de Barcelona, declaração que enche de um sorriso cético o rosto de um garotinho incapaz de acreditar que no mundo exista outra coisa que a perpendicular que une Madri e o céu. Carmela estaciona em fileira dupla na frente de um local iluminado. O vento agita um cartaz azul e vermelho que prega: *Eurocomunismo e luta de classes*. Carmela carrega a cria, entra no local, num instante sai com um homem que leva a cria pela mão, discutem com certo ardor, mas ela se afasta dando de ombros.

— É um cínico. É o primeiro dia em todo o mês que lhe peço para cuidar do garoto e ele diz que não pode. Certamente estraguei algum plano dele. Pois por mim que se vire...

— Não vivem juntos?
— Não sei. Quando não tem reunião do partido, tem reunião como membro de não sei qual comissão

assessora do grupo parlamentar e, se não, da comissão assessora do grupo municipal. Além disso, debates aqui e ali sobre se os tanques soviéticos devem permanecer no Afeganistão ou não parar até Chinchón.* Não é o único que vive assim, apressado, com mil responsabilidades, mas eu estou aqui, porque na hora da verdade preciso trabalhar, militar, fazer as compras, cuidar da casa e ser mãe, que é o que menos me incomoda. E, se você se queixar, vêm as velhas camaradas que te contam uma vida de lascar. Quinze anos namorando junto à grade, mas que grade, a de Carabanchel ou a de Burgos. Depois um filho por cada período de liberdade condicional e aos sessenta anos anistia, legalidade e banhos de sol num banco do Retiro. Isso ainda é justificável porque tinha de ser feito e fim de papo. Mas agora. O que meu marido faz não é militância, é vício, puro vício e falta de vontade de enfrentar qualquer responsabilidade que não seja política. E você, o que tem aí nas sacolas?

– Você tem vinho?

– Deve ter alguma garrafa em casa.

– Sem nome nem sobrenome?

– Você já deve ter observado que não pertencemos à tendência gastronômica, mesmo que cada vez tenha mais gente deste meio que cozinha para esquecer.

– Para esquecer o quê?

– Que não houve ruptura e houve reforma, por exemplo, ou que do dia para a noite os transformaram em monárquicos e os meteram na festa da bandeira. Tem gente de sensibilidade muito delicada.

– Fico apavorado com a simples ideia de que você possa ter uma garrafa de vinho de litro. É de litro?

– Acho que sim.

---

* Município da província de Madri. (N.T.)

– Então, quando puder, pare em frente a um bar. A esta hora, só num bar vão nos vender vinho.

Carvalho suplicou que lhe vendessem algum vinho que não fosse Rioja ou Valdepeñas, sem sucesso, e no quarto bar conseguiu manter uma conversa de especialista com um senhor de Simancas, partidário do Cigales. E em Barcelona os senhores sabem que existe o vinho de Cigales? Pois olhe, por aqui só pedem aqueles que são de Segovia para cima. Não é que seja melhor que o Rioja, mas é outra coisa. O senhor que disse, cavalheiro, o senhor que disse. Ouviu? Não é que seja melhor que o Rioja, mas é outra coisa. Pois em León há ótimos vinhos. Em León não, droga, em El Bierzo. É que esse é separatista de El Bierzo. Eu sou de onde sou, como você e como este senhor de Barcelona, pois as pessoas de Barcelona são únicas. Muito especiais.

– Uma conversa acelerada.

– Passamos do vinho às autonomias. É curioso, mas costuma acontecer. A Espanha algum dia será uma federação de denominações de origem.

Um elevador precário, correspondente a um edifício de renda precária, abrigou Carvalho e suas sacolas, Carmela e uma mulher cinquentona arrematada numa poderosa cabeça mobiliada por um penteado metalizador de cabelos prateados. A mulher temia que a estreiteza do elevador colocasse em perigo a arquitetura férrea do seu permanente e empurrava as sobrancelhas para cima, como se abrisse caminho para a impossibilidade de os olhos controlarem a exatidão da coroa. Deixou o elevador com um "boa-noite" carregado de ironia e de triunfo, porque os invasores não haviam conseguido nem sequer roçar a arquitrave de sua catedral capilar e revisou Carmela com um olhar moralizante que recitava a cartilha familiar.

— Posso ser sua ajudante.

Carvalho desembocou na cozinha e encheu os pulmões de um ar que cheirava a *tortilla* à francesa. Passou em revista os utensílios e superou o lógico desalento lembrando dos tempos em que cozinhava na prisão com um fogareiro e um prato de expedição.

— Vejo que você tem uma alimentação saudável. Ovos, carne grelhada e latas de aspargos. São muito diuréticos.

— Às vezes tenho vontade de cozinhar e cozinho. Quase sempre comemos fora, e à noite o garoto adora um bife com batatas fritas. Cardápio?

— Tripa e *capipota* com ervilhas e alcachofras com atum recheado.

— Vamos até a meia-noite.

— Quarenta e cinco minutos.

— Você deve dizer isso a todas.

— Na evidência de que você não tem um utensílio para rechear, não quero ofender a sua atitude de mulher emancipada, mas teria uma agulha de tricô?

Carmela fez cara de orgulho ferido, abandonou a cozinha e voltou com três pares diferentes de agulhas de tricotar.

— Não alimente falsas ilusões. São da minha mãe. Às vezes vem ficar com a cria e começa a fazer suéteres como uma louca.

Carvalho abriu várias galerias nas postas de atum e as recheou com anchovas. Temperou, enfarinhou o bicho e o dourou em azeite em companhia de uns alhos. Acrescentou um pouco de água e deixou que o lombo de atum cozinhasse em fogo baixo. Desfolhou as alcachofras até que mostrassem o branco coração. Cortou as pontas e partiu a alcachofra em quatro pedaços. Fritou os dezesseis pedaços, separou-os e refogou no azeite a tripa e a *capipota*, para em seguida acrescentar um refogado de tomate e cebola. Quando o refogado e os despojos formavam um amálgama total, acrescentou o caldo elaborado com um cubinho da variada cuboteca de Carmela e as ervilhas. O atum já estava cozido no outro refogado. Carvalho separou-o e trabalhou o suco resultante como base de um molho espanhol retocado com folhas de funcho. Separou o molho e voltou às tripas para acrescentar nelas as alcachofras previamente fritas e um picadinho de avelãs, amêndoas, pinhões, alho e pão torrado diluído com um pouco de caldo. Deu por pronto esse prato e esperou que o atum estivesse frio para cortá-lo em fatias depositadas numa travessa e em seguida cobertas com o molho quente.

– Mas estes são dois pratos principais.

– Estava há muitos dias sem cozinhar. Tudo o que sobrar vai estar muito bom amanhã, principalmente a tripa.

Carmela repetiu a tripa e contentou-se com uma rodela do atum recheado.

– Você cozinha assim todos os dias?

– Sherlock Holmes tocava violino. Eu cozinho.

– E, enquanto cozinhava, no que você pensava?

– Na cultura. No fato de que vocês, marxistas, acreditam que já têm o suficiente colocando música na letra das condições materiais e, no entanto, são tão escravos da cultura como os demais. Até as porcentagens eleitorais se transformam em cultura. Na França, há uma cultura de 22%. Na Itália, de 30%. Aqui vocês têm uma cultura de 9% ou de 10%.

– Isso lhe ocorreu quando cozinhava a tripa ou o atum?

– O assassinato de Garrido é outro tema cultural. Ou é um traidor ou um messias. Em toda a história do movimento comunista só há um atentado provocado pela necessidade de uma higiene de emergência: o de Beria. Isso eu pensei no momento em que temia que as ervilhas congeladas não tivessem cozinhado o suficiente para acrescentar as alcachofras. Não bebe vinho?

– Fico alta muito rápido.

– Faz tempo, quando a linguagem de vocês estava mais fresca para mim, talvez tivesse explicado melhor. Vocês têm uma consciência clara de que são o motor da História, tenham 10% do eleitorado ou 30%. Conseguiram até que os seus inimigos acreditem em vocês e os temam, tanto com os 10% como com os 30%. O perigo que representam pode não ser quantitativo, mas sempre será um perigo qualitativo. Mataram Garrido para transformar vocês num bando de assassinos frios, calculistas, culturais, que precisam do protocolo de um Comitê Central para encenar o sacrifício. O assassino é um de vocês e neste momento sabe que está condenado à morte, não por vocês que estão em plena operação de inserção cultural liberal, mas pelos mesmos que o instigaram a cometer o crime.

– Por que ele não dá o fora?

– Depois de amanhã poderei lhe dar uma resposta. Mas quase poderia antecipá-la. Porque está preso, completamente preso, e tem de cumprir o seu papel até o final.

– Que saco. Vamos cair um ponto nas próximas eleições.

– Talvez não. Agora terão a oportunidade de eleger um secretário-geral que agrade ao mercado. Mas não farão isso. A cultura de vocês os impede. Vocês se verão empurrados até o dilema de procurar um histórico e seguir mamando na mitologia ou então um filho do sistema esperto o suficiente para ter chegado até aqui sem desafinar gravemente. A hora da verdade vai chegar dentro de quinze ou vinte anos, quando já não restarem heróis da luta contra o franquismo e as bases tenham se tornado definitivamente antilitúrgicas. Talvez eu não viva para ver isso e talvez não me interesse grande coisa, mas será muito interessante o momento em que nenhum partido comunista europeu disponha de mártires, nem sequer de um estudante processado em 1974.

– Acho difícil. Faz quinze dias, apunhalaram um camarada em Malasaña.

CARMELA TINHA VONTADE de seguir conversando e um incômodo dialético. Colocou um disco de Joan Baez num toca-discos portátil e ofereceu a Carvalho um barzinho de garrafas cheio de sobras: *chinchón* seco, conhaque, *cointreau*. Carvalho encheu até a metade um copo que fora recipiente do leite de amêndoas com *chinchón* seco e atirou-se num sofá de plástico que o acolheu entre queixas airosas. A mulher escutava a música sentada na ponta de uma das poltronas que completavam o conjunto, segurava os joelhos com os braços e só afastava o olhar do formigueiro dos seus pensamentos para vigiar o silêncio de Carvalho.

– É muito tarde. Passam táxis por aqui?
– Durma aqui.
– E seu marido e seu filho?
– Ele levou o garoto para a casa dos meus sogros, e vá saber onde está. Não acho que venha dormir.

Era uma conversa neutra entre a dona de uma pensão e um cliente em dúvida. Carvalho tentou observar de longe o vértice do decote da sua possível senhora, taxista ou companheira de viagem. Foi naquela sessão do Marne de 1956 quando Garrido falou da bunda da camarada, não da bunda da camarada em abstrato, mas da bunda concreta da camarada que havia sido surpreendida na cama de Biel Ciurana, estudante de medicina que viera ao curso acompanhado da Passionária de Farmácia. Ainda que as regras das reuniões clandestinas do partido não estivessem escritas em seus aspectos fisiológicos, a divisão entre banheiros masculino e feminino continuava nos dormitórios, obstáculo tão imprevisto como inaceitável para Roser Bertran, mais conhecida como a Passionária de Farmácia, disposta a demonstrar a inseparabilidade do objetivo de Marx, mudar a História, e do objetivo de Rimbaud, mudar a vida. Assim que, à noite, Roser e Biel deitaram ostentosamente sobre uma das camas metálicas daquela que podia ser escola ou residência de verão do partido comunista francês e, ao serem surpreendidos no terceiro arquejo por um camarada veterano que em 1939 pegara pelos cabelos o penúltimo ou último barco no porto de Alicante, Roser limitou-se a propor a partir da posição teórica quase prática de mulher fodida por um maiorquino aprendiz de psiquiatra (com o tempo, lacaniano): "Poderia apagar a luz, camarada?". O veterano apagou a luz, mas uma hora depois o casal comparecia a uma reunião com o próprio Garrido. Reunião que o secretário-geral desdramatizou oferecendo tabaco ao casal, sem distinção de sexo e pedindo desculpas por um puritanismo imposto pela austeridade da clandestinidade. "Para chegar até aqui, vocês colocaram em alerta não somente uma boa parte da organização do partido no interior da França, mas uma importante rede mantenedora do partido comunista francês. Vieram para esclarecer como está o nosso país e o que podemos fazer. Três, quatro dias, uma semana. Não seria justo que respondessem a esse esforço organizativo se distraindo com a contemplação da bunda da camarada." A bunda aludida saltou do assento e respaldou um discurso feminista tão pioneiro como meritório no contexto de um cursinho em que as mulheres constituíam precários 15%, segundo as estatísticas esperançosas que Helena Subirats havia comentado no primeiro dia de retiro.

O que seria pior? Que Biel se distraísse contemplando a bunda da camarada ou que ela, Roser Bertran, fizesse o mesmo pensando na bunda do camarada? Ainda que faltassem mais de dez anos para que Germaine Greer publicasse *A mulher eunuco* e deixasse fotografar a sua xoxota em *Schuck,* Garrido havia lido Kollontai em plena adolescência e era consciente de que havia cometido um deslize machista. "É que vocês, mulheres, têm mais capacidade de concentração", desculpa tão conciliadora que até a Passionária de Farmácia deu-se por satisfeita e não apenas saiu da reunião reconfortada, mas convencida de que não devia confiar excessivamente em sua privilegiada capacidade de concentração e que seria uma demonstração de civilidade praticar a abstinência no que restava do cursinho, se não aqueles veteranos do assalto à contradição de primeiro grau iriam acreditar que as novas gerações carecem do dom do autocontrole.

– Em que você está pensando?

– Na bunda das camaradas.

– Na minha, por exemplo?

– Não numa bunda concreta, mas numa bunda generalizável.

– Que bom! Deve ser uma bunda muito feia, maltratada por horas de reuniões.

– Ou você se reúne pouco ou a sua bunda é de excelente matéria-prima.

— É uma insinuação?

A bunda da camarada. Esqueça a bunda da camarada e investigue o assassinato de Garrido. Carvalho fez um esforço para engolir o palavrão de tabu político que o tinha engasgado.

— Vocês, mulheres comunistas, me intimidam. Suspeito que vocês somente têm um sentido épico ou talvez um sentido ético da transa.

— Não sei do que está falando. Talvez as coisas fossem assim durante o cerco de Stalingrado. Você está um pouco obsoleto.

— Sem dúvida, tenho uma fixação adolescente.

— Na sua época não praticavam o amor livre?

— Não. E agora?

— Também não.

Carmela suspirou desencantada.

— Mas de ética e de épica, não tem nada disso. Pode ficar convencido.

Carvalho conseguiu desvincular-se do barulhento plástico e ficar sentado no canto do sofá diante de Carmela. Dou um sorriso de suspeita de cumplicidade ou vou diretamente ao ponto? Ouviu-se o barulho da porta da rua ao ser aberta.

— Agora chega o momento em que o marido entra e apunhala o amante da esposa infiel. Será uma morte injusta.

Carmela olhava para a porta com perplexidade e indignação.

— Se for ele, vai me ouvir.

Não era ele. O vão da porta era quase insuficiente para o gordo sorridente que com a arma na mão impôs tranquilidade a Carvalho. O homem invadiu a sala e atrás dele apareceu um loiro pálido, descendente em linha direta de um filho ilegítimo, até então desconhecido, de Carlos II, o Enfeitiçado.

– Fiquem calmos, fiquem calmos. Senhora, não se assuste. O seu amigo lhe dirá que sou um homem pacífico.

– Quem é o tiozinho?

– A senhora foi quem disse: sou o tio de Pepe. Não é, Pepe?

– O tio da América? O tio da União Soviética?

– Ainda segue assim? Que diferença faz. Para o senhor, que diferença faz? Ouviu isso, Pérez? Não lhes apresentei o meu amigo Pérez. Tem um sobrenome que é um achado.

O gordo ria enquanto guardava a arma sem tirar o olho de cima de Carvalho.

– Estão de passagem ou vêm para ficar?

– De visita, senhora, de visita. Antes de tudo, senhor Carvalho, o felicito pelo showzinho do VIP. O senhor é um pouco suicida porque aquele jovem a quem pôs em evidência não vai esquecê-lo facilmente. Soube que além de tudo o senhor quebrou o braço de um profissional e isso não é certo, mesmo que esse profissional seja meu concorrente. Reconheço que o senhor é um homem de recursos e por isso preferi visitá-lo num terreno neutro. Nem no hotel, nem na rua. Aqui, na casa desta simpática senhora. Tem uma simpatia muito madrilena.

– Muito obrigada.

– Há quem diga que os espanhóis mais simpáticos são os andaluzes. Eu me inclino pelos madrilenos.

– Obrigada em nome do honrado povo de Madri.

O loiro farejava mais do que observava a sala. O gordo fez troça dele movendo o focinho como um coelho e sentou-se na ponta do sofá onde Carvalho permanecia.

— Não nos apresentaram – disse Carmela, cruzando as pernas e entregando-se à anatomia do sofá.

— Eu sou um homem simples que vive de saber das coisas, e Pérez é meu ajudante.

— Sei muito bem o que esta senhora faz e, portanto, não me incomoda que esteja presente durante a nossa conversa.

— Se é que vai haver conversa, pois não tenho nada para dizer ao senhor.

— Não se precipite. Certamente que tem muito a me dizer. Dentro de algumas horas, as horas que forem, o senhor mesmo vai se surpreender com o muito que terá dito. Desde a última vez que falamos, o senhor teve reuniões muito interessantes. Fonseca, Santos Pacheco, Leveder, Sepúlveda Civit. Acho que está se aproximando do final.

— Diga-me o senhor. Tanto o senhor quanto os da calçada aí em frente sabem o final.

— Dou a minha palavra de honra que não sei. Preste atenção no que digo. Eu, eu, eu não sei. Me disseram: implore ao senhor Carvalho que lhe informe, e eu cumpro ordens. Senhora, não se mova.

A voz havia sido taxativa, impensável naquele corpo fofo semiesparramado numa esquina do sofá, mas ao mesmo tempo expectante de tudo quanto pudesse ocorrer no local.

— Tenho que fazer xixi.

— Pérez, acompanhe esta senhora, examine o *toilette* antes, e depois deixe-a entrar com absoluta liberdade.

Carmela saiu seguida por Pérez.

— Enfim, sós. Mas não pense que o senhor dispõe de melhor correlação de forças. Sou muito mais rápido do que o senhor presume, e é melhor que Pérez não fique nervoso porque ele é um bruto, um autêntico bruto que não distingue os sexos. Um selvagem de verdade. Vamos ao assunto e terminemos o quanto antes. Cavalo vencedor? Faça um prognóstico.

– O senhor me superestima. Não fiz mais do que começar.

– Vimos que Santos Pacheco estava muito nervoso. Sobretudo quando se encontraram na Cidade Universitária. Sem dúvidas teme o veredito, é compreensível, seja qual for ele perde. Eu me coloco em seu lugar. Para um velho comunista como Santos Pacheco, deve ser muito duro, muito mesmo, ter de encarar uma coisa assim. Não se faça de esperto. Não ache que vai terminar isso a nossas costas.

– O que me aconselha? De profissional para profissional. Passo primeiro a informação para o senhor ou para os outros?

– Não tem comparação. A mim. Se pudesse falar lhe convenceria facilmente de que sou a escolha mais lucrativa.

– Não falamos de dinheiro.

– Há muitas maneiras de pagar.

– Por exemplo?

– A vida, a tranquilidade, parece pouco? Não vamos divagar. O final está se aproximando. Diga os nomes dos maiores suspeitos.

Carmela voltou seguida por Pérez.

– Quando fico nervosa me dá vontade de fazer xixi.

Voltou a se ouvir o barulho da porta da rua e em seguida um assobio de aviso.

– Não! – exclamou Carmela.

O gordo se pôs em pé com muito trabalho e na mão de Pérez apareceu uma Beretta. Quando os passos estiveram a ponto de chegar ao marco da porta, Carvalho deixou-se cair de lado contra o gordo, que caiu de pernas para cima sobre o sofá, virando-o. A pistola de Pérez hesitou entre mirar Carvalho, Carmela ou o homem que a partir da porta exclamava energicamente:

– O que está acontecendo aqui?!

Carmela iniciou a fuga, mas Pérez a reteve por um braço. O recém-chegado avançou sem titubear sobre o loiro.

– Largue a minha mulher!

Carvalho lançou-se sobre Pérez e o empurrou contra a parede, onde ficou como um cristo.

– E o senhor quem é? – o marido de Carmela teve tempo de perguntar antes que Carvalho pegasse a garota pela mão e a puxasse para fora da peça.

– Carmela, aonde você vai, Carmela?

– Corra você também!

– Mas que droga está havendo?

Carvalho saiu no topo da escada e lançou-se degraus abaixo conservando entrelaçada a mão de Carmela.

– Corra, Paco, corra! – ela gritava com o rosto voltado para cima.

Saíram para a rua. Carvalho protegeu-se atrás de um carro e obrigou Carmela a se agachar. Os olhos de Carmela ficaram na altura do bolso do casaco do detetive e viram como dele saía uma pistola preta, pesada, que cheirava a graxa e mofo.

– O que terá acontecido com o meu Paco?

– O garoto é um pouco lento.

– Teria gostado de ver você no lugar dele. Eu vou buscá-lo.

– Não farão nada a ele. Fique quieta.

Da porta subitamente iluminada saíram o gordo e seu ajudante. Caminhavam pausadamente, conversando sobre algo que os preocupava com moderação. Não tomaram precaução alguma. Percorreram a calçada, dobraram a esquina, seus corpos e suas vozes desapareceram. Carvalho indicou a Carmela que seguisse agachada, e ele se escondeu atrás dos carros para seguir paralelamente o percurso dos dois homens. Ao chegar à esquina, viu como entravam num carro estacionado. Esperou que arrancasse, que as suas luzes ao final da noite espessa desaparecessem, e voltou até onde havia deixado Carmela. Não estava. Atravessou a rua, subiu os degraus de dois em dois. A porta do apartamento estava fechada.

– Sou eu, Pepe.

Carmela abriu. Tinha os olhos chorosos.

– Selvagens. O que fizeram com o meu Paco.

Carvalho a afastou e alcançou a sala de estar em duas passadas. O homem estava encostado numa poltrona com uma flor vermelha de sangue nos lábios partidos e um braço que caía inerte, quebrado, ao lado do corpo que gemia por todos os poros. Os olhos julgaram criticamente Carvalho e logo se voltaram para Carmela pedindo explicações.

– É um amigo.

– Pode caminhar?

O homem assentiu com a cabeça.

– É preciso levá-lo a um ambulatório ou pronto-socorro, sobretudo pelo braço.

Os olhos do homem recostado no banco traseiro do carro ora olhavam a nuca de Carvalho, ora a de Carmela, numa busca muda pela lógica do que havia acontecido.

– Diga a eles que foi uma briga. Que queriam assaltar você. Invente dois ou três tipos. Se dissermos a verdade, ficarão conosco toda a noite e acordarão até o ministro do Interior.

O carro penetrou no túnel do pronto-socorro. Enquanto Carmela fornecia os dados à encarregada de preencher a ficha de admissão, um assistente levava Paco numa cadeira de rodas até o interior do templo.

– Os familiares não podem entrar. Dentro de meia hora daremos informações. Podem ir para a sala de espera.

Uma máquina automática de café automático e outra de água, refrigerantes e sucos não menos automáticos. Pais de motoristas esmagados contra a noite, mulheres de esfaqueados anônimos, filhas maduras de mães assaltadas pela paralisia pouco, muito pouco depois de ter jantado tão bem, repolho e batata e um peixinho que mordia o rabo.* Carvalho saiu da sala de estar para acender um cigarro e distraiu-se na contemplação das ambulâncias que chegavam e partiam deixando a carga destruída de vítimas da noite. "Quando chega a noite e expande suas trevas, poucos animais não fecham as pálpebras e cresce a dor dos doentes", havia escrito Ausiàs March, e Carvalho traduziu com decidida vontade de estragar os versos. Do horizonte noturno apareceu um velho rengueando que apertava o baixo-ventre com uma mão e com a outra dava impulso ao corpanzil para seguir avançando.

– O senhor é médico?

– Não.

– Venho caminhando desde Lavapiés. Na outra noite me colocaram uma sonda urinária e tenho espasmos.

Barba de dias, cabecinha pelada de frangote sob a boina, mãos nervosas abrindo a bragueta e mostrando a Carvalho um sexo coberto do qual saía um tubo de plástico para um saco cheio de urina apoiado por um músculo de frango magro cheio de veias e de peles desabitadas.

– Vai pegar frio.

---

* Uma maneira tradicional de preparar o peixe na Espanha é fritá-lo mordendo o rabo, formando um círculo. (N.T.)

— Dói tanto.

Carvalho tomou-o pelo braço e o ajudou a chegar ao balcão de entrada. A funcionária balançou a cabeça incomodada.

— O senhor outra vez?

— Dói tanto.

— Por que veio a pé de novo? Vamos. Entre.

O velho penetrou no templo. A mulher seguia balançando a cabeça e comentou com Carvalho:

— Está esperando vaga para se operar da próstata e vem aqui seguidamente, por vezes às quatro ou às cinco da madrugada. Sempre vem a pé e sozinho.

Clareava quando o táxi deixou Carvalho no Hotel Ópera. No elevador, engatilhou a arma disposto a se desfazer de qualquer obstáculo que o impedisse de tomar um banho quente e de relaxar uns instantes entre lençóis propícios. Abriu a porta do quarto de repente, fez igual com a do banheiro. Pôs a tranca e banhou-se longa e gulosamente. Já na cama, se masturbou para se acalmar e procurou primeiro no teto e depois na caverna formada pelos lençóis sobre a sua cabeça um motivo para dormir. Não o encontrou. Levantou-se, vestiu-se, percorreu um entediante horizonte de *porras*, churros e cafés sobre os balcões das cafeterias madrugadoras do bairro até encontrar uma em que, ainda que não estivessem dispostos a preparar para ele um pão com tomate e presunto, tampouco o expulsaram diante da pretensão abusiva e evidentemente catalã e conformaram-se em preparar um *pepito adobado**, com o inevitável sabor a

---

* Sanduíche quente de pão francês e filé grelhado ou frito com alho. (N.T.)

iguana ou crocodilo capão que têm os *pepitos adobados* de carne madrilenos.

Marcos Ordóñez Laguardia era um praticante entusiasta da velha cultura do partido, cultura antes de tudo marcada pelo sentido da pontualidade. "Se um camarada se atrasava cinco minutos, mau sinal. Certamente estava em dificuldades. Isso nos educou no sentido da pontualidade", esclareceu Marcos Ordóñez para Carvalho quando comentou a matemática coincidência de que soassem as nove da manhã e que o velho comunista aparecesse na porta da Fundação José Díaz. Como um fluxo descontínuo, foram chegando os empregados restantes, acolhidos pelo tolerante sorriso de Ordóñez e um que outro comentário sobre o quentinho que estava a cama. "É que você era dos de antes da guerra. De aço. Você é um *konsomolaço**, Marcos", brincou uma morena que usava meias com costura e tinha um sinal junto à boca. Marcos sorria satisfeito por seu triunfo matinal repetido cotidianamente, que o estimulava inclusive a começar os dias sob o signo de um êxito pequeno, mas certo. Parecia um ancião mandarim, educado, limpo, com uma amabilidade quase japonesa.

– Não quero enganá-lo. Santos avisou que o senhor viria falar comigo. Quis me preparar para o pior. A sinceridade é uma virtude comunista. Foi o que respondi a ele.

Quem tinha matado Garrido? Ninguém? Todos? Não, ele se reconhecia incapaz de isolar um rosto, um braço assassino, um motivo. Por quê? Para quê?

– O para que está claro. Para desacreditar o partido. O porquê, esse é o mistério. Por que um camarada assumiu o crime? Sei por que está me interrogando. Tive uma história infeliz, mas também se exagerou. Não existe

---

* O *Komsomol* era a organização juvenil do Partido Comunista da União Soviética. (N.T.)

parto sem dor. Não existe História sem dor. No mesmo momento em que eu era afastado da direção e me colocavam para trabalhar numa fábrica na Tchecoslováquia, milhares de gregos eram massacrados pela contrarrevolução capitalista, milhares de asiáticos e africanos sofriam perseguição por seus ideais anti-imperialistas. Quantos não foram torturados e morreram? Quem leva isso em conta? E em troca sempre se levam em conta os erros, grandes ou pequenos, sem dúvida desumanos cometidos pelo movimento comunista. Eu poderia me queixar e não me queixo. Aprendi, aprendi muito, isso sim. Sofri muito, isso também, mas sabia que o meu sofrimento tinha uma finalidade histórica, que transcendia a minha peripécia pessoal.

– Levava em conta também quando maldizia o partido ou a mãe que pariu Garrido?

– Não vou negar que às vezes me lixei para tudo isso e muito mais. Todos odiamos às vezes o que mais amamos. O ódio passa, o amor fica.

– O Garrido se justificou para o senhor?

– Não diretamente. Eram outros tempos. Estavam lutando contra o stalinismo, às vezes com procedimentos stalinistas e com Stalin vivo. De fato, a tendência ou corrente de opinião a que eu pertencia era muito mais stalinista do que a de Garrido. A História deu razão a ele.

– O que sentiu quando viu Garrido assassinado?

Uma paralisia repentina transformou o velho rosto em uma máscara, mas lentamente volta o movimento muscular e os lábios murmuram:

– Perplexidade.

– O senhor fez a guerra na linha de frente de Madri, não na retaguarda, mas na linha de frente. O senhor é um homem que sabe lutar. Depois combateu na Catalunha.

– Sabia manejar o facão, se é aí que quer chegar. Verdade. Convenientemente treinado, é possível que ainda tivesse forças para voltar a usá-lo, mesmo que fosse só uma vez. Talvez já seja um velho arterioesclerótico e não raciocine como em outros tempos. De tudo isso se pode deduzir que apunhalei Garrido apesar de ele ter me reabilitado e me dado um cargo de direção. O senhor sabe como chamam os dirigentes do partido? A Frente de Juventudes, porque quase todos nós temos trinta anos em cada perna. Mas não procure entre os velhos. Pertencemos à velha cultura. Todos somos Bukharins.*
Todos teríamos preferido a morte antes de prejudicar objetivamente o partido. Os jovens são diferentes. Caso pergunte a eles se seriam capazes de se sacrificar pela marcha da história, responderão que a marcha não lhes convém. Viveram outras circunstâncias. Gostaria de vê-los deparados com uma guerra civil ou com o que foi a clandestinidade dos anos 40 e 50. Mas só aprendemos com nossos próprios erros.

O discurso prosseguiu rememorando antigos exemplos da cultura do sacrifício marxista. O próprio London. O senhor conhece o caso de London? O próprio London só falou quando o seu exemplo pôde servir para as novas diretrizes do comunismo, ao socialismo com rosto humano. As pálpebras de Carvalho se fechavam.

– O senhor está com sono?

– Quase não dormi.

– É preciso dormir as horas devidas. Pagamos pelos excessos.

Lecumberri Aranaz estava encaixotado num escritoriozinho da "Fundação José Díaz", manuseando uma calculadora antiga com bobinas de papel.

---

* Nikolai Ivanovich Bukharin foi um revolucionário e intelectual bolchevique. (N.T.)

– As contas nunca fecham. Perdoe, só um momento.

Carvalho aproveitou o momento pra dar um cochilo inicial que se transformou num sono curto e profundo do qual saiu babado num canto da boca e com os olhos pestanejantes percebendo lentamente o olhar de ironia que Lecumberri lhe dirigia a partir do outro lado da mesa.

– Não seria melhor tirar um cochilo?

– Desde que cheguei a Madri não pude dormir tranquilamente nem uma noite. Quando não me dão uma surra, me ameaçam com pistolas.

– Estávamos melhor contra Franco.

Não era um sarcasmo basco. Ou melhor, parecia um sarcasmo paradoxal mediterrâneo e, portanto, esteticista. Carvalho deu de ombros.

– O senhor teve uma vida muito interessante. Creio que foi ativista do ETA.

– Bem, o ETA de então não era o de agora. Havia menos atividade. Compare a estatística de atentados do meu tempo com a de agora. Não tem comparação.

Era tão basco que só lhe faltava a boina e uma caçarola de pimentões recheados sobre a mesa, agora ocupada pela contabilidade da "Fundação José Díaz".

– O que faz um basco como o senhor numa cidade como esta?

– Às vezes eu me pergunto isso.

– Como ativista do ETA, deve ter recebido uma formação especial, um treinamento para a luta armada.

– Que nada. Quatro bobagens e um pouco de tiro. Repito, eram outros tempos. Todos éramos uns voluntaristas. Agora é outra coisa. Falam até em campo de treinamento nos Emirados Árabes ou na Líbia. Naquela época íamos para a montanha no País Basco, quatro idiotas dispostos a deixar o franquismo nervoso. Isso era tudo.

– Por que se tornou comunista?

– Porque considerei que o papel histórico do ETA havia sido cumprido. Ainda que siga pensando que o partido comunista nunca entendeu corretamente a questão nacional basca, e assim por diante. Também acreditava que adesões como a minha poderiam ajudar a tornar mais basco o PC em Euzkadi.* Hoje não sei o que lhe dizer. Meu mundo caiu. Compreendo que faço um trabalho útil. Mas meu mundo caiu.

– O senhor foi detido pela polícia como militante do ETA.

– Sim.

– E torturado, suponho.

– Bem suposto.

– Mas não recebeu uma pena muito alta.

– Os do processo de Burgos caíram e se fartaram com eles. Também não me acharam grande coisa.

– A polícia não voltou a incomodar o senhor?

– Picuinhas.

– Entendi que o senhor pediu uma dispensa como profissional do partido.

– Soube pela televisão? Não sabia que eu era tão popular.

– Por quê?

– Não estou à altura das circunstâncias. Um dirigente do partido segue sem ter vida privada. Antes era devido à clandestinidade. Agora, pela escassez de quadros e a necessidade de atuar em todas as frentes democráticas. A família pressiona. Tenho quase quarenta anos e mal vivi. Gostaria de dar a volta ao mundo, por exemplo, ou fazer o que me der vontade aos fins de semana. Passear por La Concha. Ver como os rapazes jogam na areia. Ver meus filhos crescerem. Ouvir sobre o que falam. Tenho

---

* País Basco na língua basca. (N.T.)

uma carreira, não sou só um ativista, estou cansado. Não sou um revolucionário, sou simplesmente um antifascista. Essa é uma descoberta que muitos fizemos depois da morte de Franco e não esclarecemos o suficiente a nós mesmos. É mau negócio quando a militância se transforma numa rotina. Eu estou seco. Sem vontade. Sem imaginação. Quero ir para casa! Quando tirarmos de cima de nós o cadáver do Garrido, vou para casa.

Boca apertada, olhos pretos brilhantes, obstinação moldada num corpo pequeno, palavras vomitadas pela paixão. Mataram o meu pai, é que para mim o Fernando era como um pai, mais que pai, igual ao Santos, desde o primeiro leite que mamei eu os venero. Esparza Julve, atacadista de frutas tropicais, lichias, kiwis, mangas, papaia, maracujá, abacaxi.

– A quanto estão os galegos?
– Cem pesetas mais baratos.
– De quais galegos você fala?
– Tem kiwis neozelandeses e kiwis galegos, cultivados em estufas. Compre-os. Os da Oceania são mais bonitos. Os galegos, mais toscos, ainda que, como se sabe, um pouco mais ácidos talvez. Você aí, escute! Trate as caixas como se fossem a sua mãe! Melhor que a sua mãe! Estragou, depois a mercadoria chega como chega. Houve uma época em que convivíamos todos os dias. Quando meu pai morreu na prisão, eu fui para a França e morei na casa de Santos. Bem, Santos ia e vinha, porque poucos sabem que esteve mais tempo no interior do que no exterior, arriscando-se sempre. Santos, assim como o vê, tão amável, tão educado, tão diplomático, tem peito. Ainda recorro a ele quando tenho algum problema, seja

do tipo que for. Parece que só entende de política, mas é um cérebro, um cérebro para tudo. E por Fernando eu teria feito qualquer coisa, bem, o que ele me pedisse. Quando decidi deixar o partido como profissional, o senhor acha que me censuraram? Não, senhor, me deram força, porque sabiam que eu fazia isso com gosto, ainda que contra a vontade. Aquela vida não era para mim. Mil horas de reunião por semana. Sempre fui um homem inquieto e precisei desenvolver minhas iniciativas. Agora estou no Comitê Central como representante dos pequenos empresários, dos bem pequenos, mas também sirvo o partido. Esparza, dê um aval para isto. Esparza, cinquenta mil pesetas para aquilo. E Esparza isso e aquilo, porque se pode servir ao partido de muitas maneiras diferentes. Há quem lhe dedique toda a vida. Há quem coloque toda a inteligência. Há quem ponha boa vontade ou dinheiro. Isso é o legal de um partido aberto e moderno, um partido de um novo tipo, como dizia o Fernando. Eu gostava mais do partido de células, né? Para que negar. Parecia mais, não sei, comunista, mas também nisso ou você se renova ou fica para trás, porque o que mais me enche nos conservadores é que às vezes os caras se apresentam como os mais fodões progressistas do mundo e, se olhar bem olhado, o que eles propõem é do tempo em que se atava cachorro com linguiça. Leninistas e não leninistas. Vamos ver. O que Lenin teria feito na Espanha em 1975? Teria se atirado contra as baionetas? Não, porque não era nenhum tolo e só os tolos fazem tolices. Eu nunca engoli as teorias. Meu pai foi mineiro e eu seria lavrador até que me tornei profissional do partido e, em seguida, comecei negociozinhos simples como este. Mas, ainda que não seja um teórico, sei escutar e tive a sorte de escutar pessoas que sabiam o que interessava à classe operária. Porque um bom comunista não é apenas aquele que se lança de peito contra a burguesia e enche a boca de palavras como ditadura do proletariado, mas aquele que tem visão de conjunto do que acontece e do que deveria acontecer em benefício da classe operária. Quer provar um maracujá?

Obsceno saco de velho cheio de polpa escassa e ácida.

– É preciso se acostumar com o sabor. Em alguns restaurantes fazem sorvetes, até sorvetes. Já não sabem o que comer. Se um agricultor inventar um melão com sabor de atum à escabeche, fica rico.

– O senhor tinha muita familiaridade com o Garrido. Em nenhum momento ele lhe disse algo que pudesse ser um aviso sobre o que aconteceu?

– Ele era um homem muito moderado, não se assustava com qualquer coisa. Eu o vi justamente um instante antes de ele entrar na sala no dia da sua morte. Um grupo de camaradas de La Mancha o esperava para fazer uma homenagem, e ele me viu entre eles e pôs o braço sobre o meu ombro. Como está, Julvito? Não sei o porquê, mas sempre me chamaram de Julvito. O Santos começou, e os velhos me chamam de Julvito. Quando eu era um garoto, passei temporadas de férias na Crimeia ou na Romênia com os filhos do Santos e do Garrido. Tantas lembranças. Tantas esperanças.

– O Garrido estava tranquilo no dia do crime?

– Assim como eu ou como o senhor agora. Eu estava com ele aquele dia em que saiu das Cortes e um grupo de mulheres da Força Nova começou a chamá-lo de assassino e a gritar vá para Moscou. Garrido foi até elas e disse: prefiro ser presidiário na Espanha a um homem livre em Moscou, e as tias ficaram com a boca assim, cabia a Bíblia em verso naquela boca. Moderado. Moderado. No dia do crime, trocamos umas quantas palavras. Perguntei a ele sobre a questão sindical, esses socialistas são birrentos; normal, ele respondeu, fazem a sua política, como nós, mas no final do caminho nos encontraremos. No dia do Juízo Final, eu lhe disse, porque falo com ele com muita confiança e sou muito brincalhão. Não tão tarde, Julvito, não tão tarde. É que às vezes é difícil ter paciência, porque os companheiros socialistas são um pé no saco, aqui entre nós. Já disse não sei quem: nós saímos das prisões e há quem tenha saído de baixo das pedras. Muito bom. Muito boa também aquela: PSOE, cem anos de História e quarenta de férias. Não se deve ser sectário, mas às vezes tornam as coisas muito difíceis. Não confiam em nós, ou melhor, lhes interessa mostrar que não confiam em nós para assim nos desqualificar diante da burguesia. Claro que no passado lhes fizemos algumas sacanagens, mas eles também, e estivemos ombro a ombro durante a guerra. Eu, no fundo, sigo nisso para ser fiel a mim mesmo, mas já estaria na hora de descansar, porque já suei a camiseta anos e anos e, de fato, eu queria deixar o partido, mas o Santos me convenceu, fique uns anos mais, Julvito, para dar o exemplo, para que os mais jovens convivam com vocês e saibam em que consiste o patrimônio moral dos comunistas, e por isso sigo no Comitê Central, mas já não é para mim, eu seguiria trabalhando, na base, ajudando no que fosse, mas o Comitê Central é para outras pessoas com toda a vida por diante e não para trás, como eu. Já coloquei tudo a perder quando tinha trinta e poucos anos, dois filhos, nada pela frente e nada atrás. Emigrei. De emigrante, para trabalhar com estas duas mãos na Alemanha, mas ali outra vez o assunto, a organização do partido na emigração, onde estávamos? O Santos me perguntava toda vez que ia nos visitar, você sai da Espanha para nos perder de vista e aqui volta a se enredar, é que é mais forte que eu, está no sangue, está no sangue. E agora mais do que nunca, nestes momentos mais do que nunca, para demonstrar aos assassinos que nos destruíram que, se o franquismo não conseguiu, tampouco essa máfia vai conseguir.

– O Garrido foi assassinado pela máfia?

– Não. Eu me refiro à Trilateral. Quem mais senão eles? Garrido e o eurocomunismo os incomodavam. Essa imagem de comunismo civilizado, como deve ser, não é? Pois desarmava muitos anticomunistas e isso deixava os da Trilateral doentes.

– A Trilateral pode matar um homem sem lhe tirar a vida. Pode fazer uma campanha de desprestígio esmagadora.

– Foram eles. Não enrole. Queriam quebrar uma imagem, tornar impossível a proposta eurocomunista. Perceba que desgraça e que escândalo. Como vamos ficar diante da opinião do mundo inteiro? E isso conta, pois, já dizia o Garrido, não podemos viver isolados, precisamos ter uma visão de conjunto do todo e de todos os que compõem o nosso partido e de que posição ele ocupa dentro do conjunto da sociedade espanhola.

– Sabe-se de cor.

– Quando se tem um Garrido vale a pena aproveitar. São quarenta anos de comunismo espanhol o que tentaram massacrar.

Empenhou-se para que provasse um kiwi galego e um kiwi da Oceania.

– Com o que parecem? Hoje em dia se pode cultivar fumo no Polo Norte; você cria condições ambientais artificiais e dá o que quiser. Eu comecei nos negócios como sócio de uma cooperativa que cultivava endívias, essas brancas enlatadas, belgas. Na época foi um desastre, mas agora ganharam terreno. Cada coisa tem a sua época e o que se adianta à sua época muitas vezes fica em simples ruína. O senhor veja como são as coisas. A história não tem coração nem cérebro.

"A GESTÃO DEMOCRÁTICA DAS PREFEITURAS", cursinho de 15 a 30 de outubro, sob o patrocínio da Comissão de Cultura da Prefeitura de Madri: "Política municipal e meios de comunicação", palestrantes: Ana Segura e Ferrán Cartes, excursão a Chinchón, visita às oficinas do Boletim Oficial do Estado, mesa-redonda sobre "Semiologia urbana", 210 prefeitos, conselheiros de comissões de cultura, rostos bicolores, cabeças sem boinas, mãos de torrão, advogados em seus jarros de palavras, ex-padres conselheiros, Escapá Azancot? Não sei se veio. O da dolçaina? Escapá Azancot! Apresente-se no escritório de imprensa! Caminhava de lado, sol no rosto, economia gestual de camponês, rígido de orelha esquerda com inclinação compensatória de torre de Pisa, perdoe, mas fui para o mundo da lua fazendo anotações.

– Aqui o conhecem como o da dolçaina.
– É que eu toco.
– E o que é isso?
– É um instrumento de sopro, como a charamela, mas mais curto. É tocada em La Mancha desde sempre, mesmo que digam que é de origem francesa. O meu avô tocava, e o meu pai e um tio também. Tudo isso estava quase abandonado até a democracia. Mas como agora todo mundo tira sinais de identidade até debaixo das pedras, nós temos a dolçaina.
– O partido apoia a reivindicação da dolçaina?

— Pois não disse que não. E cada vez que o pessoal da direção passa pela minha cidade não há quem os tire de um concerto de uma hora.

— O senhor leva a dolçaina às reuniões do Comitê Central?

— Escapá, os que falam hoje também são do seu partido?

— Devem ser do seu, que não sabem nada de nada! Esse é socialista. Estão mordidos porque até agora todos os palestrantes são comunistas e se queixam porque o prefeito de Madri é socialista. O que eles dizem serve ou não serve? Isso é o que é preciso perguntar, e não começar a discutir se são galgos ou podengos.

— Creio que vocês fizeram uma homenagem ao Garrido no dia do atentado.

— Estava preparado um concerto de dolçaina na Casa de Campo, mas Fernando não podia vir; então pegamos as dolçainas e fomos para o Continental. Pouca coisa. Uma música apenas, porque ele chegou atrasado e os camaradas do Comitê Central estavam esperando por ele. O condecoramos com a dolçaina de honra e foi isso. Disse que tinha péssimo ouvido e que se ele tocasse a dolçaina iria soar pior do que já soava.

— O que é a dolçaina de honra?

— Uma insígnia para usar na gola. É uma dolçaina pequenina. Fizemos vermelha para que ele não reclamasse.

— Garrido a colocou?

— Eu a coloquei nele e disse umas palavras.

— Vocês concederam muitas insígnias desse tipo?

— Como esta, nenhuma. Em geral são douradas ou prateadas. Mas decidimos que para Garrido seria vermelha.

— O senhor encomendou uma insígnia especial para Garrido?

– Não. Eu não. De fato, essa ideia não foi nossa. Mas um dia veio um camarada do Comitê Central explicar o que havia sido falado na reunião. Mesmo que eu também seja do Comitê, prefiro que seja outro camarada a vir à cidade explicar como foi tudo. Veio um camarada e, como sempre, a conversa foi para o lado da dolçaina. Disse que Garrido tinha que ouvir isto. Fizemos tudo que nos pediram. Que seria bonito que o tornássemos sócio de honra para que as pessoas vissem que o partido estimula a cultura popular. Pois então, sócio de honra. E que déssemos a ele a dolçaina de honra. E ficou combinado. E assim nos animamos, e o camarada voltou para Madri com um modelo de insígnia para encomendar uma especial para Garrido.

Carvalho sentia o estômago cheio de um vazio gelado. Estava diante da porta do mistério e tentava problematizar as intenções do prefeito camponês, como se não acreditasse o quão simples era a verdade, como era fácil chegar até ela. E quando fez a pergunta que arrematava horas e horas de voos de mosca-varejeira ou de libélula, de ave de rapina ou ave doméstica, sua própria voz lhe pareceu estranha.

– Quem foi o camarada que lançou a ideia e ficou encarregado de encomendar a insígnia especial?

– O Esparza.

– Esparza Julve?

– Sim, o Julvito. A coisa foi por um triz, porque não tínhamos a insígnia até o momento em que a colocamos nele no *hall* do Continental. Havia me esquecido desse detalhe por culpa da confusão que se armou depois. Cada vez que for a La Mancha a usarei, o Garrido disse. Isso não tem sentido, alguém disse, a dolçaina deve ser usada na capital. E assim foi tudo. Ele seguiu caminhando até o salão da reunião, meus conterrâneos ficaram comentando a jogada, e Esparza e eu seguimos Garrido para não atrasar a reunião. Quem iria dizer que o Garrido morreria com a dolçaina na lapela. Escreverei um artigo para o *Mundo Obrero*. Meus conterrâneos não vão acreditar.

– No inventário de objetos encontrados no corpo de Garrido não consta a insígnia.

– É uma coisa tão pequena. Deve ter passado despercebida.

– Está inventariado até o resto de tabaco que havia no fundo dos bolsos do casaco.

– Pois não entendo. Talvez tenha caído quando movemos o corpo. Houve uns minutos de confusão até que os médicos membros do Central disseram que não se podia fazer nada. Que importância tem a dolçaina em tudo isso?

– É preciso levar em conta todos os detalhes.

– É que vai começar a palestra e não quero perder. O cursinho custa os olhos da cara, e eu não nasci prefeito, entende? É preciso aprender o que não se sabe.

Carvalho deixou às suas costas o burburinho dos cursistas e ficou numa encruzilhada de caminhos que só ele via: Fonseca? Santos Pacheco? Voltar a procurar Esparza? Brincar com os valentões que deveriam estar esperando por ele na porta da prefeitura?

– Para a Puerta del Sol.
– Mas está a dois passos.
– É que acordei cansado.
– Pois o prazer vai lhe custar duzentos mangos.
– Há prazeres mais caros.
– E depois vão dizer que existe crise.
– Me deixe na porta da Direção Geral de Segurança.
– Dando uma de Missão Impossível.

O taxista não tirou o olho dele pelo espelho retrovisor. Cumprimentou-o com seriedade ao ver que a gorjeta se aproximava de trinta pesetas. Carvalho saltou do táxi e traçou a distância mais curta entre a calçada e o policial armado que montava guarda.

– O senhor Pérez Hinestrilla de la Montesa.
– Não seria Pérez-Montesa de la Hinestrilla?
– Um que usa colete.
– É a vontade de ser diferente.

Pato ou peru? Teria que decidir examinando mais detidamente se a qualificação definitiva dependia do longo pescoço trabalhado por um estrondoso pomo de adão ou da cabeça pequena, com muito lábio e pouco queixo, arrematada por um cabelo cortado sob a influência de duas culturas opostas pelo vértice: o corte prussiano e a poda capilar *punk*. Pérez-Montesa de la Hinestrilla tentou pactuar.

– O senhor compreenderá que eu não posso revelar informações secretas sem saber o objetivo, sem saber a finalidade. Está pedindo os relatórios confidencialíssimos que temos dos membros do Comitê Central do PCE. Muito bem. Eu os dou, e é uma prova de confiança, mas o senhor precisa me dar outra prova em troca para que eu me justifique diante dos meus superiores.

– Quer que eu lhe diga o principal suspeito?
– Seria justo.
– O senhor me garante que ele não vai morrer quinze minutos depois de eu ter dado o seu nome?
– O que está insinuando?
– É tão difícil de entender?
– O senhor está falando com um funcionário público, com um servidor de um governo democrático e com

um democrata de anos. Eu fui acionista do *Cuadernos para el Diálogo*.

– O senhor parece uma boa pessoa, mas está em condições de garantir o que lhe peço? Quer assumir a responsabilidade de lançar o nome de um homem para que o furem como se fosse um coador?

Ou era cólera ou era conflito consigo mesmo. Suspirou e deu um tapa de castigo contra o encosto da alta cadeira de madeira entalhada.

– Por que o senhor me coloca neste aperto?

Era verdade. Por que o colocava diante de um dilema moral que lhe poderia custar a carreira, uma brilhante carreira, quem sabe, logo seria diretor-geral, delegado de alguma entidade autônoma, ministro aos quarenta ou 45 anos, e como tinha feições de príncipe fraco, aquele detetive cínico usava uma chantagem moral que não teria usado com outro, por que comigo?

– O senhor foi membro do Partido Comunista.

– Foi uma criancice. Apenas alguns meses. Nem sabia que aquilo era o Partido Comunista. Achei que era uma tentativa de voltar a organizar a FUE. Qual universitário da minha idade não teve ideias marxistas em algum momento da vida? E para todos ou quase todos serviu como vacina. Mas não devo nada ao partido.

– Este assunto já não é questão de partidos ou de intermediários mais ou menos poderosos. Há gângsteres no meio, autênticos profissionais do crime político que querem acabar o trabalho.

– E eu com isso? Ao fim e ao cabo, é um assassino, estamos rifando a vida de um assassino.

Carvalho deu de ombros, pareceu entregar-se com vontade à maciez da poltrona Oxford e encostou as pálpebras como se quisesse imaginar ou dormir. O do colete falava em voz alta consigo mesmo, com Carvalho, com o passado, com o futuro, com a humanidade.

– O senhor será o primeiro a contar ao partido.

– Dou a minha palavra que o partido não saberá do papel que o senhor desempenhou em tudo isso.

– Não desempenhei papel algum, nem penso em desempenhar. Preciso consultar meus superiores ou em todo caso o próprio comissário Fonseca.

Carvalho sorriu com toda a tristeza que pôde acumular no rosto.

– Ao menos preciso contar ao ministro.

Carvalho baixou a cabeça como se meio quilo de tristeza tivesse se somado àquela que o transformava num homem vencido pela incompreensão e falta de solidariedade.

– Ao chefe de governo. Também não confia no chefe de governo?

– O senhor acredita que o chefe de governo vai manter o segredo de um pacto entre ele, o senhor e eu?

– Deixe-me uma saída. Não posso assumir toda a responsabilidade.

– Quero que o chefe de governo se comprometa de que tudo ficará entre nós.

– É uma loucura, mas vou tentar.

Tirou uma agenda do bolso. Discou três números no telefone.

– Ramal dez...

O pomo de adão havia ficado louco de entusiasmo, decidido a bater o recorde de subidas e descidas num pescoço humano.

– Olá, presidente, amigo. Sim, sou eu outra vez.

Fechou os olhos de deleite ao comprovar o respeito com que Carvalho valorizava tão alta franqueza.

– Veja. Há possibilidade de acelerar o assunto e preciso da sua permissão para ver os relatórios confidenciais. Ele exige que tudo fique entre você, eu e ele. Não, esse não. Também não. Já sei que é difícil, mas não há outra alternativa. Obrigado pela confiança.

Abriu uma gaveta e tirou a mão cheia de *Kleenex* que serviram para secar um suor imaginário. Fez um sinal para que Carvalho o seguisse até uma peça lateral, apenas um lugar para colocar os pés entre altos armários amarronzados que ocultavam todas as paredes. Tirou um chaveiro do bolso, manipulou uma fechadura articulada.

À vista de Carvalho, apareceram gavetas de zinco com claro-escuros de ferrugem e velhice. O subdiretor-geral escolheu uma caixa e a colocou embaixo do braço magro perdido na manga do casaco, voltou a fechar a gaveta, o armário, voltou ao escritório, colocou a caixa na ponta da mesa na direção de Carvalho. O detetive a pegou, voltou a seu sofá, cruzou as pernas de forma que a caixa ficasse oculta para o do colete, sobre o improvisado facistol das pernas cruzadas. Abriu a caixa. Procurou uma ficha. "Filho de Emerenciano e Leonor. O pai mineiro, militante do Partido Comunista da Espanha desde 1932. A mãe ativista secundária na área mineira até a detenção em outubro de 1934. Anistiada pela Frente Popular em fevereiro de 1936. Casamento no *front* de Ebro em fevereiro de 1938. Exílio 1939. Nasce Félix Esparza Julve em Toulon, janeiro de 1940. Atividades do pai na Resistência Francesa. Mãe deportada com a criança para o Maciço Central. Trabalhos domésticos na casa de um alto oficial alemão os salvam de uma deportação para um campo de concentração. No término da guerra, o pai entra na Espanha clandestinamente com o *maquis*.* Detido nos arredores de Villafranca del Bierzo

---

* Resistência antifranquista. (N.T.)

em 1947. Morre de tuberculose na prisão de El Dueso em 1951. Estudos do filho no colégio Marcel Cachin de Paris financiados pelo PCF. Acampamentos de verão na URSS e Romênia. Membro da delegação espanhola no Festival da Juventude de Moscou de 1958. Estudos para engenheiro agrônomo na Universidade Humboldt da Alemanha Oriental. Rápida ascensão no partido. Primeira missão na Espanha, trabalho subversivo, greve de Astúrias em 1962. Detido com nome falso em Madri em 1965. Estadia de oito meses em Carabanchel. Absolvição. Nova detenção, queda do aparato do Partido em Ciudad Real, 1965. Condenação de quatro anos na prisão de Cáceres. Aplicação da liberdade condicional em 1967. Abandona aparentemente o aparelho do partido e monta sociedade agrícola de produtos especiais. Casa-se em 1968 com a filha de um dos sócios. Viagens de negócios, principalmente para Bélgica e Holanda. Irregularidades de conduta em 1969. Primeira separação matrimonial. Falência fraudulenta e partida para a Alemanha. Contato em Frankfurt. Absolvição, falência fraudulenta e regresso à Espanha. Consultar senha 'Maguncia'. Novo negócio de comercialização de produtos tropicais. Irregularidades de conduta. Separação matrimonial definitiva. Senha 'Feltro'. Nova vinculação ao partido com a proteção de Santos Pacheco. Senha 'Duplo'. Capacitação ST 68, serviços Tornasol Salida. Guarda-chuva."

Ou seja, resumiu Carvalho, alta capacitação, serviços especialíssimos, proteção sem limites. E, enquanto resumia para si mesmo, captou um olhar de soslaio de Pérez-Montesa de la Hinestrilla dirigido ao teto, a um ângulo concreto da sala. Carvalho escondeu precipitadamente a pasta entre as outras e tentou levantar-se.

– Fique quieto. Não funciona sempre. Sabe como estão as coisas na Espanha. Às vezes vigiam, às vezes não.

Carvalho procurou o olho escondido do circuito fechado de televisão. Pareceu vê-lo na asa de um anjinho escorado que sobrevoava em direção ao zênite do *trompe l'oeil*.

– Nem eu mesmo sei quando funciona.
– Mas sabia que às vezes funciona.
– Quase nunca. Prometo. Juro.

Uma batida com o nó dos dedos sobre os altos portões. Em seguida um rápido abrir de portas e Fonseca entrou oferecendo a mão a Carvalho, seguido por um Sánchez Ariño cabisbaixo, mas sorridente, com as mãos nos bolsos.

– Disseram que estava por aqui e eu disse: vou cumprimentar o senhor Carvalho. Se Maomé não vai à montanha, a montanha vai a Maomé.

Fonseca adotou a mais crítica das surpresas ao ver a caixa metálica sobre os joelhos de Carvalho. Suas sobrancelhas ergueram-se para interrogar Pérez-Montesa de la Hinestrilla. O rosto do diretor-geral apequenou-se mais do que o normal em busca da consistência metafísica da autoridade. Aquele rosto rechaçava a pergunta e a dúvida pendentes das sobrancelhas de Fonseca. Carvalho os via interpretar os papéis de capataz receoso e administrador resoluto, sem tirar o olho de Sánchez Ariño, perplexo diante do mistério das suas próprias unhas, diria-se que abismado em outro mundo sugerido a partir da superfície estriada de suas poderosas unhas. Se alguma vez afastava os olhos de tão mágica oportunidade era para cuspir indiferença e fastio sobre os atores restantes.

– Acho que... – disseram os lábios de Fonseca.
– O que o senhor acha é assunto seu.

O subdiretor o interrompeu. Mas Fonseca havia decidido não se submeter, e apontava com o dedo a caixa situada sobre os joelhos de Carvalho. O subdiretor colocou saltos postiços para subir na sua própria voz e emitir um sonoro:

– Basta!

Fonseca encolheu os ombros e piscou para Carvalho.

– Manda quem pode, obedece quem tem juízo. Por mim, que faça fotocópias e as distribua entre seus cupinchas.

– Não acho que valha a pena. Os relatórios escritos nunca foram seu forte. O senhor sempre preferiu a comunicação oral.

– Muito engenhoso. Muito inteligente. Há cinco anos teria gostado de tê-lo aqui. Então eu teria visto onde o senhor enfiaria o engenho e a inteligência. Eu sei muito bem onde os teria enfiado, um atrás do outro.

Mas sorria, com a evidente vontade de melhorar a situação.

– Se sabe algo e não comunica a nós, que somos os legítimos representantes do governo, já sabe o que está em jogo.

– Eu disse o mesmo a ele – apoiou Pérez-Montesa de la Hinestrilla.

– Isto não é um filme de espionagem. Tem muito machão solto por aí, e o senhor sabe disso.

– Inclusive para a sua própria segurança – acrescentou o do colete para reconciliar-se com ambos.

– Para a sua própria segurança, claro. Isso é o principal.

Fonseca estava entusiasmado com o novo argumento trazido à baila.

– A sua segurança é o que prima.

– O que priva – corrigiu o subdiretor.

– Sim, o que priva.

Carvalho levantou-se, passou na frente de Fonseca recebendo uma ameaça energética, como se a violência contida em Fonseca tentasse eletrocutá-lo, e deixou sobre a mesa do encoletado a caixa de zinco.

– Os senhores me convenceram. Não quero saber de nada. Aí está a caixa.

– Está de gozação. Já descobriu o que queria e agora quer nos passar pra trás.

– Senhor Carvalho, quero adverti-lo pela última vez de que assume uma séria responsabilidade diante do país, diante do governo e diante de sua própria consciência.

O breve discurso do subdiretor-geral havia sido rotundamente acompanhado por movimentos de cabeça de Fonseca. Carvalho ficou muito impressionado e deu de ombros sem rebeldia, compreendendo que tudo o que lhe diziam era para o seu bem, mas vítima de uma lógica pessoal e profissional que, certamente, poderia conduzi-lo ao desastre. Talvez o dar de ombros não tenha sido eloquente o suficiente, o certo é que Sánchez Ariño impediu a sua saída de cena colocando a palma da mão em seu peito. Uma palma da mão contundente, que havia saído ao encontro do peito.

– Esta porta é sua?

Sánchez Ariño franziu uma bochecha a modo de sorriso.

– Estou detido? Chegou o momento de dizer: exijo falar com meu advogado?

– Deixe-o sair, mas, senhor Carvalho, falo com muita seriedade; repito, o senhor assumiu uma grave responsabilidade diante do país, do governo e diante de sua própria consciência.

– Não repita. Já deve ter ficado gravado e filmado.

Carvalho apontou para o orifício no teto. A palma da mão de *Dillinger* afastou-se do seu peito. Saiu do escritório deixando às suas costas o relaxamento dos atores atrás da tela caída. Isso não é se mover, mas ser movido. Repetia a si mesmo enquanto ganhava portas, corredores, salas, até a saída do prédio e, já na rua, hesitou entre apagar suas próprias pegadas ou torná-las ostensivas. Falar com Santos, mas também falar com outros, colocar um adjetivo histórico ao assassinato. Outro taxista desencantado com a política, com o prefeito, com a cidade, com o táxi, com a vida. Professor Waksman? O senhor sabe quem foi ele? Um explorador de ouro? O que está dizendo? O que inventou a estreptomicina, isso que veio depois da penicilina. E depois, o que veio? Unguentos, muitos unguentos, mas, de verdade, nada. O porteiro tem hoje o receptáculo rigorosamente identificado com o conteúdo. Não coça o saco sob o uniforme e acompanha Carvalho até o elevador com a submissão de um professor adjunto nos anos 50. Chega ao andar de James Wonderful, aliás, Jaime Siurell, deixa para trás a porta, sobe alguns degraus em direção ao andar de cima, espera. O porteiro deve tê-los avisado pelo interfone, estarão lhe esperando, quatro, cinco minutos, ficarão nervosos, a porta se abrirá. A porta se abre, o centro-europeu da noite de Gladys aparece, assegura-se de que não há ninguém no vestíbulo, comenta isso a partir da porta.

– Não está.

– Olhou bem?

É a voz de Wonderful. O loiro volta a sair indolentemente, mas sem tirar a mão do bolso do casaco. Aventura-se até a escada que dá acesso ao vestíbulo e em seguida vai até a escadaria principal, onde esperam por ele as solas dos sapatos de Carvalho, que o acertam nos olhos e pulverizam o seu mundo em pó de estrelas, enquanto o cheiro do próprio sangue lhe carboniza o nariz. Carvalho bate nele junto à orelha e no pescoço. Deixa que caia lentamente, como se o corpo temesse o encontro do chão de parquê e procurasse uma queda branda. Carvalho salta sobre o homem caído. Com uma das mãos apodera-se do marco da porta aberta, com a outra segura uma pistola que entra no apartamento antes de Carvalho. Está aberta a porta de comunicação do vestíbulo com a sala, e ao fundo de tudo vê Wonderful de pé, expectante, piscando para definir a imagem que avança até ele.

– Shuster, o que está havendo?

Diante de Wonderful, como um parapeito, a cadeira de rodas sobre a qual o velho deixa cair as mãos, vítima do desalento que lhe causa a comprovação da presença de Carvalho.

– O que você quer aqui? É idiota, completamente idiota, não aprendeu nada?

Fala com mais desenvoltura do que no encontro anterior, até se diria que seus olhos retornaram para as órbitas, mas as lágrimas de olhos inválidos, na intempérie, caem dos cílios úmidos. Tira as mãos da cadeira, deixa cair os braços, Carvalho aproxima-se dele e de repente Wonderful se agacha, concentra toda a força que lhe resta nos braços que empurram a cadeira como um projétil contra Carvalho. O detetive escolhe contemplar este rosto raivoso cheio de veias, vermelhidões, águas sujas, rugas malvas e recebe o impacto da cadeira nos joelhos e no ventre. Cai de joelhos, respira fundo, deixa que Wonderful recupere a agilidade necessária para avançar até um móvel, e quando as mãos trêmulas do velho estão a ponto de alcançar o covil da arma, a voz neutra de Carvalho o paralisa.

– O senhor não terá nunca essa arma. Em compensação, eu tenho uma. Seja sensato.

– Imbecil. Você é um imbecil. O que veio fazer aqui?

– Ainda me faltam alguns dados.

– Quem vai dar a você? Eu?

Uma esperança desenruga o rosto do velho. Carvalho deu meia-volta rapidamente e disparou antes que o latino-americano o fizesse com o braço na tipoia. O homem caiu sobre o braço quebrado e deixou a descoberto a presença de uma sombra que buscou refúgio na escada. Carvalho lançou-se sobre Wonderful, o agarrou pela gola do roupão e o fez avançar. O latino-americano com a mão do braço bom continha o sangue que saía do seu peito. Carvalho não teve de dizer nada. Wonderful abriu caminho gritando:

– Cuidado com o que fazem! Estou indo na frente.

Dois homens irados contemplaram Wonderful e Carvalho entrarem no elevador grudados um ao outro. Um dos dois era o loiro impassível. Carvalho achou que ele sorria.

Ao passar pelo porteiro, Wonderful aumentou a dificuldade no andar. Não foi o suficiente para que o serviçal cão cérbero não se espantasse até o despudor diante do milagre do inválido caminhando. Essa surpresa fundamental o impediu de apreciar a rigidez do braço de Carvalho sobre os ombros de Wonderful, e, ainda que tenha estranhado que Carvalho, de repente, abandonasse o velho na calçada, deixando-o cambaleante, sem mais motivo, muito menos para pular para dentro de um táxi, com a quantidade de táxis que há por ali, a estranheza fundamental seguia obedecendo à ereção súbita do velho. Wonderful seguiu por um momento o rastro do táxi de Carvalho. Logo se deixou acompanhar e ser inquirido.

– Faz dias que consigo dar alguns passos. Meu sobrinho tinha o sonho de que eu o acompanhasse até a porta. Às vezes coisas assim estimulam mais do que a melhor medicina. Fazia tantos anos que não o via. É filho da minha irmã menor, a preferida.

Também Carvalho virou-se para contemplar a despedida do ancião, sua submissão ao porteiro para que o reconduzisse à casa. Imbecil. Você é um imbecil. Não entendeu nada. E, além disso, sai atirando contra as pessoas, quebrando braços; quanto mais poderosos são seus inimigos, de forma mais temerária você se comporta, não chegará à velhice nem voltará a ser jovem. Era verdade. Imbecil. Não entendeu nada. O que lhe importam os adjetivos? Deixe os adjetivos para os políticos. Assassino: fulano de tal e é isso. Apoderou-se de uma cabine interpondo o corpo entre ela e uma acalorada mulher que sem dúvida a tinha visto primeiro. Enquanto localizava Santos, escutava o monólogo indignado que a mulher lhe dedicava apoiada no vidro como uma orangotango irada.

– A senhora me perdoe, era uma emergência. Procurava um médico.

– Poderia ter explicado, e é uma coisa que se entende quando se é uma boa pessoa.

Mas Carvalho não prestou atenção ao ensaio de discurso moral e voltou para o táxi.

– Para onde?
– Dê uma volta.
– Uma volta? Por Madri? O senhor não é daqui?
– Não.
– Dá para notar. Uma volta por Madri de táxi!

Mas deu a volta, de congestionamento em congestionamento.

– Dizem que na hora do almoço se circula bem. O senhor está vendo.

A hora do almoço. Pela primeira vez em muitos anos o encontro com a comida não lhe dizia nada.

– Deixe-me em frente ao Ritz.

O taxista cantarolou:

Ai que prazer
dançar um foxtrote
com uma donzela
que nos fale de amor!
Ainda que vivesse cem anos,
eu não esqueceria as tardes do Ritz.

Júlio estava apoiado numa esquina da fachada do hotel lendo o *As*.

– Suba pela calçada até a segunda quadra. Carmela está lhe esperando. Não está com o carro de sempre. É um Talbot azul.

Carvalho colheu as palavras ao passar. Virou-se duas vezes para comprovar se não era seguido. Carmela abriu a porta por dentro.

– E o marido está são e salvo?

– Pobrezinho. Ficou aleijado. Faz uma carinha. Vocês, homens, não sabem ficar doentes. Se alguma vez tivessem que parir. E encarar o que vem depois. Dores de cabeça. Estômago caído. Estou achando você mal. Voltou a se encontrar com aquela gentalha?

– Com uma gentalha parecida.

– Santos está esperando por você.

Parou o carro na esquina da Gran Vía com a Plaza de España. Apontou a escadaria insignificante da Torre de Madri até um lindo céu de tarde vencida. Apartamento dezessete.

Um apartamento simples. Pergunte por Pino Betancort, o apartamento está no nome dele. Atravessou a praça pelas costas dos bobões Quixote e Sancho. Ninguém perguntou aonde ele ia até que chegou diante de uma mulher morena de olhos grandes, com saia estampada e longa até encostar nas altas botas negras. Santos estava incômodo sobre o sofá-cama baixo de uma sala cheia de símbolos da mulher emancipada. A morena pegou uma bolsa, os cumprimentou com a cabeça e foi embora. Carvalho deixou-se cair junto de Santos e falou da dolçaina, da insígnia especial, do sinal de morte, dos kiwis galegos e neozelandeses, de Esparza Julve, de Julvito, sim, de Julvito, da entrevista com Pérez-Montesa de la Hinestrilla, o do colete (o do colete?), sim, o do colete, e de Fonseca. Santos ficou em pé como se levantasse quatro corpos com o seu. Saiu para a sacada para contemplar o panorama da velha Madri encoberta pela tarde que caía mais além da agonia outonal da Plaza de España, entre o cenário do Palácio Real e o da Vie Lumière da Gran Vía. Dezessete andares de distância entre a realidade e o desejo, pensou Carvalho, sem saber por que e sem se mexer do sofá. A cabeça branca de Santos Pacheco resplandecia pelos reflexos do sol. Por aquela cabeça já não passavam as sombras animadas das dúvidas, mas lembranças, uma, duas, três, mil biografias em relação a Esparza Julve, a Julvito. Carvalho tinha visto nos olhos de Santos a progressiva configuração de uma súplica: este não, por favor, qualquer outro, este não. Santos voltava da sacada para dizer:

– Por dinheiro? Por ódio?

– Isso só ele sabe. Mas, a partir dos dados, seguramente foi por dinheiro. Desordens de conduta. Falência fraudulenta. O senhor sabia algo disso?

– Alguma coisa.

– Quais desordens?

– Foi depois de se casar e se afastar do partido. Tinha passado pela vida dura de um órfão do partido, de um combatente comunista, e de repente era um homem livre com dinheiro no bolso. Ninguém podia ajudá-lo. Eu tive notícias do que estava ocorrendo, mas não podia ajudá-lo financeiramente. Nunca pensei que fosse algo tão dramático, que o levasse aonde o levou.

– Tudo se encaixa. A época. A viagem para a Alemanha. Certamente comprovaríamos que não trabalhou em nenhuma fábrica, que recebeu um treinamento especial.

– Tanta hipocrisia. Não entendo.

– É possível odiar o que se ama, sobretudo caso tenha se acostumado a uma vida cheia de exceções.

– Deve ter sido isso. Todos o cercamos do culto ao pai. Todos queríamos que se parecesse conosco. Sempre queremos que os novos quadros se pareçam conosco. Que falem como nós. Que pensem como nós. Importa-se de ir embora?

Voltou a sair para a sacada. O sol havia se movido o suficiente para que a cabeça já não brilhasse, pálida, opaca, abandonada entre os ombros, vencida em direção ao vazio.

– Meu trabalho terminou – disse Carvalho, sem se atrever a entrar.

– Por favor. Preciso de umas horas. Eu o localizarei antes da noite. Amanhã acertaremos com o senhor e poderá partir.

As palavras saíam daquela cabeça imóvel, era indubitável.

– Não me consta que os da Direção-Geral de Segurança não tenham sabido.

– Até amanhã.

Ia dizer a ela: "Carmela, estou encrencado. Sabe onde posso comer uma boa dobradinha a esta hora?", quando percebeu que o olhar paralisado de Carmela devia-se ao fato de não estarem a sós no carro e de que sobre o banco traseiro emergia o homem que havia encarado no VIP como bicha pegajosa. Revistou Carvalho com uma das mãos, enquanto a outra permanecia oculta.

– Quieto, e você já sabe o que deve fazer.

Carmela sabia. Procurou uma saída pela Princesa por trás do edifício Espanha e desceu até a Puerta de Hierro. Saíram para a estrada de La Coruña.

– Madri é uma ervilha. Voltamos a nos encontrar muito perto do VIP e agora me levam para cenários repetidos.

– Nos levam – assinalou Carmela.

O homem não respondeu. Havia se protegido mantendo uma distância equidistante entre Carmela e Carvalho.

– Quando você vir o anúncio do El Mesón del Cojo, reduza a velocidade. Não comi nada. Estou em jejum.

– Você, em jejum? Vai morrer. Mas não creio que este senhor deixe você comer um sanduíche.

– Aonde vamos? Tem janta pronta?

O outro fechou os olhos e enrugou o nariz. Estavam aborrecendo-o.

– Vou levar más lembranças de Madri. Dormi pouco. Quase nada. É uma cidade onde não existem as portas nem a intimidade. Levam você para onde quiserem. Nem pude ir aos restaurantes da moda.

– Eu fiz tudo o que podia. Faça uma queixa por escrito.

Carmela tinha a voz de estudante a ponto de fazer um exame.

– El Mesón del Cojo – disse o outro.

Carmela reduziu a velocidade.

– A próxima à direita.

Entraram numa estrada costeada por grades e arbustos.

– À esquerda.

– Vamos.

– Direita. Devagar.

O homem se inclinava até eles com uma arma empunhada e direcionada para a cabeça de Carmela.

– Caralho! Não me assuste! – gritou Carmela, histérica.

– Fique tranquila, Carmela. Isso vai acabar bem – comentou Carvalho.

– Pare em frente ao portão verde.

Portão verde. Que riqueza de vocabulário, pensou Carvalho. O carro parou. O homem inclinou-se para tirar a chave da ignição e colocá-la no bolso. Empurrou Carmela com suavidade para que saísse do carro, saiu ele e, da calçada, com um gesto, mandou Carvalho sair. Carmela, Carvalho e o homem atravessaram um jardim entre acácias e chegaram diante de uma porta de grades andaluzas atrás da qual aparecia a claridade da iluminação interior.

A porta abriu-se. Um homem careca, pequeno, magro, esfregando as mãos como se sentisse frio. Ou talvez o frio existisse entre as paredes cheias de fendas, salpicadas de marcas de umidade e erosões abstratas. Nenhum móvel. Talvez por isso lhe pareceu confortável o volume do homem gordo, um volume sorridente que saiu a seu encontro em companhia do visitante noturno do apartamento de Carmela.

– Que prazer vê-los! Fiquem tranquilos. Os dois. Tranquilos. São meus hóspedes. Minha sobrinha e meu sobrinho. Lamento que a casa esteja mal decorada. É fria. Inóspita. Quanto antes acabarmos, melhor. Não tem nem onde sentar.

– Preciso me sentar.

– Parece que sim, senhor Carvalho. Não está com bom aspecto. É muito valente. Parece de outra época. Parece que o senhor aprendeu o ofício nos romances de Klotz. Raner movimenta-se muito, é violento, agressivo. Isso já não se faz. Preste atenção nos personagens de Le Carré. Esse é o modelo. Escritório, muito escritório. Arquivo, muito arquivo. Computadores. Tudo se desumaniza. Smiley usava a cabeça, não os punhos. Desculpe que sempre lhe fale de Smiley, mas é que o personagem me fascina.

– Estou em jejum.

– Não tem um pão dormido em toda a casa. Mais um motivo. Quanto antes acabarmos, melhor. Parece que o senhor chegou ao final da linha. Queremos saber quem foi o eleito.

– Isso vocês já sabem.

– Não me consta.

– Posso me apoiar na parede?

– Não.

Era um não que o condenava a seguir ali em pé, como Carmela, como os demais que haviam estabelecido um círculo ao redor dos dois rostos pálidos. Carvalho atirou a cabeça para trás para livrar as costas de uma dolorosa tensão de aço. O teto estava cheio de estuques florais quebrados que iam ao encontro de um lustre de lágrimas perdidas.

– Basta um nome.

Basta um nome. Um condenado à morte. Algumas horas ganhas por Santos Pacheco para preparar uma estratégia envolvente. Isso era o que menos lhe importava. Ao fim e ao cabo, eles não eram seus clientes.

– Compreenda. Tenho obrigações para com meus clientes. Para o senhor também existe o segredo profissional.

– O nome.

Carvalho disse que não com a cabeça. O gordo apenas moveu um braço. O homem calvo, baixinho, magro, friorento, aproximou-se de Carmela e a esbofeteou nas duas bochechas até fazê-la cambalear. O gordo e Carvalho olharam-se. Os olhos do sicário eram de ferro.

– O nome.

Carvalho olhou para Carmela. A jovem havia coberto o rosto com as mãos; não chorava nem se queixava.

– Preciso consultar a minha sócia. Ela está levando a pior parte.

– Não diga nada a estes filhos da puta! – Carmela gritou com uma voz postiça de barítono rouco.

O homem calvo tentou repetir a operação e, diante da muralha oposta pelas mãos de Carmela, lhe cravou um soco no estômago que a deixou sentada com as pernas abertas e o assombro nos olhos.

– Está vendo. O nome.

Não, Carvalho disse com a cabeça. O verdugo inclinou-se até Carmela, agarrou-a pelo cabelo e a fez ficar em pé. A mão livre voou em busca do corpo da jovem e encontrou um corpo que ia a seu encontro e um chute na canela. As mãos de Carmela acertaram em cheio a cara do homenzinho, as unhas feriam suas pálpebras e baixavam pelas bochechas deixando sulcos de sangue e pele rasgada. O homenzinho soltou o cabelo para proteger o rosto, e Carmela passou a um corpo a corpo cego. Os outros dois foram até eles, desobedecendo a uma muda e tardia ordem do gordo. Carvalho foi em sua direção, apesar do olho da pistola que havia aparecido na mão do homem cúbito. Um chute na bragueta do gordo demonstrou que era sensível a determinadas agressões da realidade. Caíram sobre Carvalho dois corpos humanos que não se decidiam entre imobilizá-lo ou triturá-lo com socos. Respirava aos borbotões e aos borbotões gritava para Carmela fugir.

— Deixe que vá! – alguém disse, e Carvalho encontrou-se à mercê de um só agressor. Ouviu o barulho da porta se fechando. Ficou em pé e começou a correr em direção à porta. Não sabia quem lhe batia. Quem o agarrava pelas pernas e o atirava no chão. Quem sentava sobre as suas costas. No horizonte de rodapés desbotados que seus olhos percorriam não apareciam as pernas de Carmela. Colocaram-no em pé e o empurraram contra a parede. O gordo num canto com as mãos no saco, e o homem careca cheio do seu próprio sangue e daquele que Carvalho emanava pelo nariz. O loiro acompanhante noturno do gordo com a pistola na mão. Faltavam Carmela e o homem impassível.

— O senhor não é um profissional! O senhor é um camicase!

O gordo dava voltas semicirculares em torno de Carvalho. Os outros dois tinham a artilharia nas mãos.

— Deixem-nos. Chega de contemplações.

— Um camicase. Odeio os camicases. Odeio as pessoas irracionais.

O homem impassível voltou. Fechou a porta meticulosamente, aproximou-se do gordo e lhe disse algo no ouvido. O gordo respondeu sussurrante. Os outros haviam ficado quietos esperando notícias que não chegaram. O homem impassível saiu da sala por uma porta lateral. Carvalho deslizou parede abaixo e sentou-se no chão. O nariz ainda sangrava e lhe doíam alguns golpes que havia recebido nas costas. Queria dormir. Fechou os olhos e recebeu uma mensagem de calor vinda de algum ponto de seu corpo. Os olhos doíam de tanto ficarem abertos. As costas lhe agradeciam o encosto da parede. Carmela não estava. Era feliz.

– Aproveite os cinco minutos que o meu amigo vai demorar fazendo uma consulta. O senhor está perdido. Daqui só sairá com os pés juntos. É dinheiro o que quer? Coloque um preço na informação.

Carvalho compreendeu de repente que a diferença entre uns e outros perseguidores é que uns queriam saber o que já sabiam, e os outros queriam saber o que não sabiam. Os outros o tinham advertido, surrado, mas com uma estranha segurança de si mesmos. Em compensação, estes não sabiam, era evidente que não sabiam nem sequer quem poderia ser o assassino.

– Um cigarro?

O gordo oferecia uma carteira de Ducados* especiais.

– Só fumo charutos.

– Se deu mal. Os cubanos tiveram péssimas colheitas, e parece que os estoques de havaneses estão esgotados.

– Costumo fumar os das Canárias.

– Bom pra você.

O gordo pôs as costas contra a parede e deslizou para sentar-se achatado ao lado de Carvalho. A contundência do choque do seu traseiro contra o chão fez com que se levantassem as pernas e aparecessem as meias negras presas com ligas. Lado a lado, o gordo dedicou-lhe uma longa meditação sobre o que somos, de onde viemos, aonde vamos. O importante é a vida. É intransferível. Pessoal e intransferível. Carvalho não soube em que momento do discurso pegou no sono. Estava consciente de que dormia em más condições,

---

* Marca de cigarros muito popular na Espanha. (N.T.)

mas se aferrava ao sono como se fosse um alimento do qual dependia a sua própria vida. Foi acordado pelo esforço dos outros para conseguir colocar o gordo em pé. Recompôs as calças e o casaco e foi devagar até o marco da porta onde permanecia o homem impassível como um manequim de vitrine anunciando a moda do outono. Murmuraram. O gordo voltou ao centro da sala. O seu rosto era uma careta sorridente. Foi até Carvalho. Contemplou-o a partir da onipotência da sua longitude e sua latitude. Inclinou-se lentamente até ele. Colocou as mãos sobre os seus ombros. Logo se apoderou dos braços de Carvalho, dos cotovelos e dali o levantou para deixá-lo apoiado contra a parede, com o rosto amarelo devido ao banho de luz da lâmpada doente. O gordo afastou-se como que para contemplar a sua obra.

– É uma pena não termos nos conhecido em melhores circunstâncias. O senhor é um homem valente. Teria gostado que fosse meu sobrinho de verdade.

Os outros cochichavam com o homem impassível. Parecia que algo estava a ponto de acabar. Haviam guardado a tensão dentro de si mesmos, ainda que as armas seguissem em suas mãos como brasas acesas moribundas.

– Talvez seja meu último trabalho. Já lhe disse que quero me aposentar. Tenho sete quinquênios, sete.

Carvalho viu que ele se aproximava. Reconheceu-se sem forças para tentar nada, como se a fuga de Carmela tivesse sido a sua própria libertação. O gordo lhe estendia uma mão. Com a outra, o obrigou a apertá-la.

– Ao que parece, já não precisamos que o senhor diga nada. Pode ir.

Pode ir. Posso ir. Do receio à aceitação da situação. Carvalho agita o corpo para que os ossos voltem ao seu descarnado lugar, constituem-se em esqueleto de animal fugitivo.

– Está com sono. Dá para notar. Lamento não poder lhe oferecer nem uma cama.

Deixa às suas costas a amabilidade do gordo. Caminha até a porta hesitando entre começar a correr ou avançar até ela de costas, com o olhar encarando a possibilidade de um disparo. Por que não corre? E responde a si mesmo: por estética. Inclusive perde alguns segundos refletindo sobre a quantidade de coisas que se faz por estética, por escravidão a modelos de conduta que já não poderão retornar nunca. E pensando assim chega à rua, ao frio da noite, à noite, e a porta se fecha às suas costas, e a vida é um caminho sob as acácias. No meio do caminho ouve o barulho da porta aberta atrás de si, alguns passos, uma proposta que ouve paralisado.

– As chaves do carro. A sua companheira deixou as chaves do carro.

É o homem impassível. Alcança as chaves para ele.

– Onde ela está?

– É problema seu.

E lhe dá as costas para retornar para a casa. O carro está onde estava. É um objeto que o liga à Carmela, sem o qual não poderá encontrar Carmela. Encosta-se no capô e espera. Carmela aparece numa esquina, primeiro vacilante, mas logo corre até o carro e contempla Carvalho como se fosse um ressuscitado. Pega as mãos dele. Coloca a bochecha ferida sobre seu peito. Ele a incita a entrar no carro. Carvalho fica ao volante. A casa fica como um peso distante, um peso que diminui à medida que o carro toma distância.

– Não se preocupe. Não tinha outro remédio.

– Não disse o nome a eles. Me soltaram voluntariamente. Ao que parece, ou já sabem ou não lhes interessa saber. E você? Como conseguiu escapar?

– Não escapei de ninguém. Não me seguiram. Primeiro parecia que um deles estava atrás de mim, mas nem sequer saiu do jardim. Eu estava correndo como uma louca, mas me virei para ver se você tinha conseguido me seguir.

– Talvez tivessem medo do escândalo. Uma perseguição pelas ruas. Imagine.

– Qual escândalo? Todas estas casas estão vazias. Tentei entrar em alguma para telefonar e pedir ajuda ao partido, ao Júlio, não sei. Não queria me afastar muito caso lhe tirassem da casa. Ou caso você tentasse escapar.

– Entendo tanto que não entendo nada. Quero dormir. Dirija você. Está em condições?

Carmela assumiu a direção e não falaram até chegar a Madri.

– Pro diabo com o sono. Não comi nada. Estou em jejum!

– Se você chegar a um restaurante com esse sangue escorrendo, vai ser uma confusão.

– E você está com as bochechas vermelhas.

– Eu coloco maquiagem e fico pronta.

– Vamos jantar no El Amparo? Nova Cozinha Basca. O nome não lhe diz nada?

– Bacalhau à Biscaia e tudo isso?

– Por favor, não continue. Se você não está exausta, proponho jantar e depois dançar.

– Oh! John! Querido! Esta pode ser nossa noite!

– Por agora, me leve ao hotel. Tomo banho. Tiro as feridas de cima e fico como novo.

– Não demore – disse Carmela quando Carvalho desceu do carro.

Não, Carvalho a tranquilizou com a mão. Pediu a chave de perfil para não mostrar as marcas da luta e precipitou-se até o elevador.

– Senhor Carvalho, um momento, por favor!

O concierge lhe estendia um envelope no qual estava destacada a palavra urgente escrita por uma mão nervosa. Andando e parando, Carvalho rasgou o envelope:

Estimado senhor Carvalho:
Repassei mentalmente o que falamos e vivemos nestes últimos dias e cheguei à conclusão de que o verdadeiro responsável por tudo o que ocorreu fui eu. Minha cegueira diante dos fatos e das pessoas que os protagonizaram é a grande causadora da morte de Fernando, dos graves danos que essa morte pode causar em meu partido e no processo democrático. Assumo a responsabilidade da confiança que tínhamos outorgado a X para chegar aonde chegou e fazer o que fez. Acreditei ver encarnadas nele as melhores virtudes de um bom revolucionário e talvez só o que vi foi a minha própria imagem refletida num espelho propício.
Passei por momentos pessoais e coletivos muito dolorosos. Nenhum como este. Sinto-me rodeado pelo fracasso. Eu mesmo sou um fracasso. Sinto que percorri um longo caminho para nada e quero personalizar para que conste que o fracasso me pertence exclusivamente e não afeta o partido nem a sua política. Quase cinquenta anos de militância dão mais relevo à minha angústia diante do que tenho neste momento entre as mãos. Talvez um dos meus defeitos, um dos nossos defeitos, seja a prepotência, o confiar cegamente na lógica dos fatos e suas análises sem nos distanciarmos o suficiente, caindo numa alienação militante que pode atrofiar o sentimento da realidade. Escolho palavras que não soem como sempre soam as minhas palavras e descubro a pobreza de meu vocabulário quando quero sair de uma linguagem

"interna", não sei se me explico e quanto desejaria, por outro lado, me explicar. A história nos impeliu à normalidade e, para o bem e para o mal, sempre fomos excepcionais: nascemos como uma alternativa ao revisionismo social-democrata, tivemos que enfrentar imediatamente a luta contra o fascismo, passamos a ser um movimento oculto ferozmente perseguido, condicionado pela repressão nacional e pela bipolarização da política mundial, ingressamos na legalidade proclamando a liberdade como um instrumento revolucionário, mas sustentados culturalmente por uma história de excepcionalidades e sobrevivências. Talvez fosse preciso fazer uma tábua rasa e dar sentido ao futuro do movimento comunista mais além dos subterfúgios das promoções educadas na resistência e na autorrepressão, e não em assumir um processo de construção do socialismo em liberdade, com as armas das liberdades e da energia histórica das massas. Os deuses morreram, mas nós, os sacerdotes, ficamos. Nós respondemos sacerdotalmente ao sacerdócio agressivo da contrarrevolução na defensiva e talvez não seja a forma de responder, talvez a única maneira de responder seja perder nosso sacerdócio, deixar em evidência os sacerdócios alheios. Olho ao meu redor e percebo, com angústia, que não apenas não caminhamos por esse caminho, mas que nos empenhamos em reproduzir-nos sacerdotalmente em nossos herdeiros, herdeiros sem subterfúgio épico nem ético que acabarão acreditando que o socialismo é o resultado de oito horas de trabalho diário bem-feito ainda que mal pago, e esse mal pago é um subterfúgio enquanto não se tem o poder, subterfúgio que desapareceu entre os sacerdotes dos países socialistas onde o poder supõe privilégios materiais. Por sorte o

socialismo fica como processo e como objetivo emancipatório dos homens, e os erros dos partidos como o nosso são erros instrumentais que não invalidam o sentido progressivo da história, o sentido progressivo da emancipação humana contra todas as limitações. Esse sentido é salvo em cada militante anônimo capaz de compreender o sentido coletivo da luta e da longa trajetória e de sacrificar parte de sua liberdade individual lutando pela liberdade coletiva e, se for preciso, sacrificando sua vida por uma história mais justa. É preciso purificar o egoísmo para compreender, para ser consciente dos males derivados do egoísmo primário, selvagem ou do egoísmo racionalizado da cultura e da civilização capitalistas.
Por ter tão claro o objetivo, tão óbvio o sujeito, o que nos impede de propor novamente o método e o instrumento? Uma cultura, uma falsa consciência de nós mesmos como coletivo, uma falsa consciência conservadora, conservadora metodológica e instrumentalmente. Tudo que lhe digo não é fruto da depressão total que me toma, mas de muitas reflexões e conversas, às vezes mantidas com o próprio Garrido, consciente como eu de que nos movimentávamos empurrados pela língua do glaciar de nossas acumulações históricas, mas incapazes, tanto ele quanto eu, de provocar o escândalo de uma revolução cultural interna iniciada na demolição das estátuas e na cremação das relíquias.
E agora me encontro frente a frente com o cadáver de Fernando, assassinado por meu afilhado, e sinto-me como um velho estúpido, fracassado, a quem só resta dar o passo de embalsamar o cadáver e remendar o partido, para que se salvem as imagens. Não quero ser dono desta eleição, desta falsa eleição, e gostaria

*de dar a ela uma significação exemplar com o ato de me autodestruir. Eu lhe devo esta explicação porque, ao fim e ao cabo, recorremos ao senhor para que nos desse a absolvição, e eu assumo que essa absolvição é impossível. Inclusive na instrumentalização que a contrarrevolução fez e fará de todo o ocorrido, beneficia-se da nossa própria dramaturgia e espero que minha retirada de cena, ao menos, provoque um silêncio respeitoso.
Saúde.*

José Santos Pacheco
Madri, 12 de outubro de 1980.

Carvalho pôs a carta no bolso. De repente, surpreendeu a si mesmo caminhando até o elevador, e em seguida até a porta da rua, e novamente até o elevador. Voltou a ler um fragmento da carta escolhido ao acaso: "É preciso purificar o egoísmo para compreender, para ser consciente dos males derivados do egoísmo primário, selvagem ou do egoísmo racionalizado da cultura e da civilização capitalistas". Excelente frase, mas difícil de ser pronunciada por um moribundo, por muito pulmão que tenha, pensou Carvalho, lutando contra uma incredulidade defensiva. Viu a si mesmo na calçada e Carmela dentro do carro, na esquina, fazendo sinais, expressando sua surpresa diante de sua indecisão. Caminhou automaticamente até o carro. Quem sou eu para impedi-lo de fazer o papel de bode expiatório?

– Onde o Santos mora?
– A família dele mora em Legazpi. Mas ele tem um apartamento pessoal.
– Onde?
– É um segredo. Pouca gente sabe.
– Você sabe.

– Sei.

– Vamos lá.

– Não. Preciso de autorização.

Carvalho deu a volta no carro e sentou-se ao lado de Carmela. Estendeu a carta para ela e apontou dois ou três fragmentos. Carmela deu a partida. Começou a soluçar ao chegar ao terceiro sinal.

– Estar, está.

A porteira não havia abandonado o ar de suspeita original com o qual havia acolhido o estranho e acelerado casal que lhe perguntou se o senhor Santos estava em seu apartamento. A mulher concordou em deixá-los subir somente quando Carmela mostrou a carteira do partido.

– Tem tanto fascistinha solto por aí.

Carvalho e Carmela quase queimaram a resistência da campainha e ninguém respondeu. De novo, estavam diante da porteira obstinada, receosa diante daquela contradição.

– Estar, ele está.

– Pois se está e não responde é porque aconteceu alguma coisa. A senhora tem uma chave?

A mulher estudou os rostos de Carmela e de Carvalho. Parecia convencida com o de Carmela, mas não com o de Carvalho.

– O senhor também é do partido?

– Este senhor é muito importante e veio de fora para ver o Santos.

Arqueou as sobrancelhas, suspirou rendida, enfiou--se na portaria e voltou com um punhado de chaves nas mãos. Enquanto subiam as escadarias de tábuas, a mulher procurava a chave do apartamento de Santos e comentava consigo mesma:

— Faz trinta anos que o conheço, já são anos e nunca aconteceu uma coisa assim. Ventura, porque eu sigo chamando ele de Ventura, tem sempre a mesma índole, chova ou faça sol. Já é difícil uma coisa assim, sobretudo num homem, porque onde tem um homem tem um lunático, e não estou exagerando.

A porteira tomou posse do patamar da escada, avaliou todos os componentes da porta e apertou a campainha com a limpeza, segurança e familiaridade de uma especialista que, além de tudo, era da tribo. Contemplava Carvalho e Carmela como se dissesse a eles: para mim ele responderá. E a ela tampouco respondeu. Encarou a porta, inquieta por uma súbita suspeita, rompeu o buraco da fechadura com a intromissão certeira da chave e, diante dos três expedicionários, apareceu um vestíbulo sem nada para recebê-los e um corredor mais escuro do que iluminado por uma lâmpada nua acesa.

— Senhor Ventura, está aí? (É que durante 25 anos para mim ele se chamou Ventura e segue sendo Ventura.) Senhor Ventura, está aí?

Estava ali. Meio adormecido em uma poltrona de vime, sobre um fundo de estantes de pínus sem envernizar, cheias de livros.

— Ele dormiu.

Carvalho empurrou a porteira para chegar o quanto antes a Santos, tomou seu pulso e abriu uma pálpebra.

— Café. O quanto puder fazer. Ou melhor, a senhora faz o café. Você chame um médico do partido, se puder vir imediatamente, senão chame uma ambulância.

A porteira repetiu os gestos de Carvalho. Tomou o pulso. Levantou uma pálpebra. Olhava para o homem e a mulher com a boca aberta.

– Uma embolia?

– Café. Faça o café ou ele vai morrer.

– Jesus!

Tomou a posição de um corredor negro norte-americano recordista dos cem metros livre e saiu mostrando o solado de borracha das suas chinelas felpudas. Carvalho jogou para trás a cabeça de Santos, abriu-lhe a boca, meteu os dedos até a campainha e se produziu uma reação nervosa no dormente, como se tossisse a partir do estômago. Carvalho insistiu com a mão cheia de saliva e uma primeira golfada materializou-se numa baba espessa e branca que se esparramou pela barba branca e preta, malfeita, de Santos. O corpo curvou-se para frente. As golfadas sucediam-se, como se um êmbolo interno fosse aproximando dos lábios o mal escuro do sono da morte.

– Café.

Estava muito quente. Carvalho o esfriou com água, arrancou a contracapa de cartonado de um livro sobre o teatro de Maiakóvski e construiu um funil que introduziu na boca ofegante de Santos.

– Segure o funil.

A porteira segurou o funil com uma mão, e com a outra acariciou os cabelos brancos do adormecido. Carvalho deixou cair um tanto de café no funil e a cabeça de Santos começou a dizer não, como se rechaçasse a beberagem, mas Carvalho insistia e Santos pendeu para frente cuspindo café e um leite branco que saía entre asfixias, como os estampidos de um encanamento entupido.

– Pobrezinho. Parece um suplício chinês.

A porteira acusava Carvalho de crueldade porque o detetive voltava a meter o funil na boca de um Santos convulsionado, soluçante, balbuciante, babão, e de novo o vômito virou uma tentativa descontrolada de rompimento do próprio corpo. Mais tarde, os olhos cansados de Carvalho velaram o fundo onde um jovem médico atendia Santos e acolhiam com tédio as tentativas de Carmela de racionalizar a situação. Avisar o partido. Para quê? Avisar a família. Para quê?

— Como para quê, para quê?

— Este homem tentou se suicidar sem pedir permissão ao partido nem à família. Não o transforme num assunto da ordem do dia da próxima reunião do Comitê Central ou numa repreensão da provável viúva. Além disso, todos os jornais ficariam sabendo.

O argumento dos jornais foi convincente. Carmela concordou e foi para junto do médico.

— Eu não assumo a responsabilidade se não o levarmos para um hospital. Reage bem, mas pode ter complicações.

— Não podemos assumir o escândalo político – Carmela se opunha, enquanto Carvalho olhava para Santos.

O que lhe importa agora um escândalo político. Seria injusto que você entrasse nas páginas da História de cuecas. É preferível que entre com a sua roupa de presidiário, com seus disfarces de conspirador, com a sua armadura de mármore. Os olhos de Santos eram dois esboços lacrimejantes. Seu corpo jazia sobre uma cama de ferro cheia de descascados, uma cadeira ao lado da cabeceira, livros pelo chão sobre folhas de jornal, uma janela para um pátio interno. Mais parecido com uma cela. O restante era um corredor até o norte de uma cozinha engordurada em seus azulejos brancos, fogareiros de ferro das chamadas "cozinhas econômicas", carvão de pedra, carvoeiras brancas com as panturrilhas manchadas, pesando o carvão por arrobas. E na direção sul um banheiro limpo entregue à conspiração da ferrugem, ferrugem no espelho, nas dobradiças da tampa do vaso sanitário, no chuveiro, no aquecedor elétrico com capacidade mínima. Uma sala que também era sala de jantar com uma mesa de pínus no centro, três, quatro cadeiras de pínus e palha, estantes, livros, Lenin, Lukács, Stalin, *Storia del Partito Comunista Italiano*, de Paolo Spriano, *Escritos políticos*, de Togliatti, *O comunismo*, de Bukharin, *Stalin*, de Isaac Deutscher, *Anti-Dühring*, *A formação histórica da classe operária*, de Thompson, *Karl Marx*, de Mehring, *História do pensamento socialista*, de Cole, *Manual de Economia da Academia de Ciências da URSS*, *A alternativa comunista*, de Berlinguer, *O direito à preguiça*, de Lafargue, *Teoria dos quatro movimentos*, de Fourier, *Rebeldes primitivos*, de Hobsbawm, *O marxismo*, de Lichstein, quatro ou cinco Lefebvres, três ou quatro Garaudys, *A confissão*, de London, obras escolhidas de Mao, *Mémoires d'un révolutionnaire*, de Serge, *Carta aos comunistas espanhóis*, de Arrabal, *Autobiografia de Federico Sánchez*, de Semprún, *Obras completas*, de Maiakóvski, *Assim foi temperado o aço*, de Ostrovski, *Saggi sul materialismo storico*, de Labriola, *Para conhecer Lenin*, de Fernández Buey, *História do movimento operário europeu*, de Abendroth, *Humanismo marxista*, de Fromm e outros, *Socialismo*, de Ramsey McDonald, *Obras escolhidas*, de Gramsci, *A revolução soviética*, de Carr, *Obras completas*, de Balzac, *Crítica do gosto*, de Galvano della Volpe, *A Mina*, de López Salinas, *Central Elétrica*, de López Pacheco, *Vinte anos de poesia espanhola*, de José María Castellet, *Escritos sobre Heine*, de Manuel Sacristán, *Rousseau e Marx*, de Galvano della Volpe, *Estudos socialistas*, de Jean Jaurès, *Socialisme et culture*, de Jean Kanappa, *A crise do movimento comunista*, de Fernando Claudín, *Eros e civilização*, de Marcuse, *História dos PCUS*, *Trotski*, de Deutscher, *Correspondência secreta de Stalin com Churchill*, *Os processos de Moscou*, de Broué, *O que é o socialismo?*, de Norberto Bobbio, *A alternativa*, de Rudolph Bharo, *Enterrem meu coração na curva do rio, Enterrem meu coração na curva do rio, Enterrem meu coração na curva do rio...*

O ÚLTIMO DOS CHEFES GUERREIROS dos sioux acabava de se transformar em um índio a mais das reservas, desarmado, sem cavalo, sem autoridade sobre os seus e prisioneiro de um exército que jamais havia conseguido vencê-lo no campo de batalha. No entanto, seguia sendo um herói para os índios mais jovens, cuja adulação logo despertou os ciúmes de alguns. Cavalo Doido não percebia tudo o que o rodeava, ele e seus homens viviam apenas pensando no dia em que Três Estrelas Crook cumpriria a promessa de lhes dar uma reserva no Powder. No final do verão, Cavalo Doido ouviu falar que Três Estrelas Crook desejava enviá-lo a Washington para participar de um Conselho convidado pelo Grande Pai. O chefe índio negou-se a ir, pois não via sentido algum em discutir novamente sobre a reserva prometida. Ele sabia bem o que acontecia aos chefes que iam à grande capital: voltavam gordos e reluzentes por causa da boa mesa e do conforto do Grande Pai branco, e todos os traços de bravura e coragem tinham desaparecido das suas pessoas. Observava as mudanças experimentadas pelos próprios Nuvem Vermelha e Cauda Pintada, que, conscientes daquilo, sentiam animosidade pelo chefe mais jovem. Em agosto chegaram notícias de que os nez--percés, que viviam além das montanhas Shining, estavam em guerra com os Casacos Azuis. Nas agências começaram a aparecer pasquins nos quais era solicitada a adesão de jovens guerreiros para aquela campanha como exploradores. Cavalo Doido advertiu seus jovens guerreiros de que não se prestassem àquela luta fratricida, mas foram muitos os que não ouviram seus conselhos ao se deixar comprar pelos soldados. No dia 31 de agosto, data em que os novos recrutas visitaram pela primeira vez os uniformes azuis da cavalaria dos Estados Unidos, Cavalo Doido já se sentia tão enojado pelo fato que anunciou o seu retorno imediato ao território Powder. Quando Três Estrelas Crook soube da novidade através dos seus espiões, ordenou que oito companhias se deslocassem imediatamente até o acampamento de Cavalo Doido, situado a poucas milhas de Fort Robinson, para prendê-lo. No entanto, o chefe índio foi avisado por alguns amigos, e eles se dispersaram em todas as direções. Cavalo Doido decidiu ir sozinho à agência de Cauda Pintada em busca de refúgio junto de seu velho amigo Toca-as-Nuvens. E ali os soldados o encontraram, fizeram-no prisioneiro e lhe comunicaram que seria levado para Fort Robinson para falar com Três Estrelas. Uma vez no forte, lhe disseram que era muito tarde para ver Crook aquele dia, de modo que o colocaram sob a vigilância do capitão James Kernington e de um dos policiais da agência. Esse não era ninguém menos que Pequeno Grande Homem, o que não havia muito desafiara os comissionados que queriam espoliar os índios do seu sagrado Paha Sapa; o mesmo Pequeno Grande Homem que ameaçara de morte o primeiro chefe que fizesse a mínima menção de vender as Black Hills; o valente Pequeno Grande Homem que lutara ao lado de Cavalo Doido contra Casaco de Urso Miles nas ladeiras geladas das montanhas Wolf. Agora os homens brancos haviam comprado Pequeno Grande Homem e o tinham transformado em policial de uma das agências. Enquanto marchava entre eles, deixando que o soldado-chefe e Pequeno Grande Homem o levassem aonde quisessem, Cavalo Doido talvez tentasse sonhar com um mundo diferente para fugir à escuridão do presente, onde as trevas e as sombras pressagiavam apenas loucura. Passaram pela frente de um soldado com a baioneta ao ombro e, de repente, encontraram-se diante de uma porta trancada, atrás da qual se podiam ver uns desgraçados carregados de correntes.

Aquilo era pior ainda que a mais cruel armadilha para animais, e Cavalo Doido lançou-se para a frente, como um animal que se debate na sua impotência, arrastando atrás de si Pequeno Grande Homem. O lance durou poucos segundos, alguém gritou uma voz de comando e o soldado de guarda, William Gentles, afundou a baioneta no abdômen de Cavalo Doido... Aquele fresco e claro outono viu durante todo o seu decurso o exílio de vastas formações de índios que, escoltados por soldados armados, avançavam penosamente para as terras secas. Alguns grupos, pouco numerosos, conseguiram fugir durante o percurso para empreenderem uma caminhada não menos longa, mas mais esperançosa, até o Canadá, onde esperavam reunir-se com Touro Sentado. Foram também com eles o pai e a mãe de Cavalo Doido, levando o coração e os ossos do filho. Num lugar conhecido só por eles, deram sepultura definitiva àqueles entranháveis restos. Encontravam-se então perto de Chankpe Opi Wakpala, o riacho conhecido também por Wounded Knee.

– O que você está lendo?

Carvalho fechou o livro e entregou-o à Carmela.

– Um de índios. Adequado ao momento. Ele acordou.

Santos moveu a cabeça sobre o travesseiro logo que Carvalho se aproximou.

– Saiam os outros.

Carvalho sentou-se na beira da cama enquanto os outros cumpriam a ordem do velho.

– Estou muito cansado.
– Eu também. Passei três dias fugindo. Desde que cheguei nesta cidade, não sei o que é dormir nem onde está o norte ou o sul. Mas para mim este assunto acabou.
– Para mim também. Agradeço pelo que fez. Não posso dizer que estou feliz.
– Dentro de algumas horas começa a reunião do Comitê Central.
– Mandarei avisar que estou doente. Precisam começar a funcionar sem mim.
– Querem aclamá-lo secretário-geral.
– Não vou deixar.
– Eu não tiro nem ponho o rei. Isso é coisa sua. Fica pequeno o assunto de o que fazer com o assassino.
– Já enviei instruções oportunas.
– Não quero perder o final. Gostaria de assistir aos prolegômenos da reunião do Comitê.
– Fale com o Mir, ele resolverá qualquer problema. Vai lhe pagar.

Carvalho levantou-se. Estendeu a mão, que foi mais segurada do que apertada pelas mãos brancas, subitamente apequenadas, de um homem que em poucas horas havia caído no poço da senilidade.

– A carta que lhe enviei.
– Sim?
– Destrua.
– Já está feito. Não guardo correspondência e às vezes nem sequer leio as cartas que me mandam.

Santos fechou os olhos sorrindo.

– Acho que no senhor continua pouco claro o que é a exceção e o que é a regra.
– Já sabe. Abandonamos o marxismo e acabamos acreditando no zodíaco e não sabendo distinguir o bem do mal.

— Quem abandona o marxismo é porque perdeu o sentido do bem.
— *Kyrie eleison.**

— Suponho que hoje todos virão.

A secretária deu uma piscadela cética. Mir fez uma avaliação aproximada das pastas que ficavam junto ao canto do balcão, cheio de pastas frescas onde os membros do Comitê Central do Partido Comunista da Espanha encontrariam a ordem do dia, o esqueleto do informe político elaborado coletivamente pelo Comitê Executivo e uma proposta de convocatória do Congresso Extraordinário para o começo de 1981, exatamente entre os dias 2 e 6 de janeiro.

— Em 6 de janeiro? E o Dia de Reis?

Leveder pedia explicações a todos os membros do Comitê Executivo que encontrava entre os grupos.

— Como vamos normalizar nossa relação com a sociedade se não podemos compartilhar com nossos filhos a alegria de receber os brinquedos das mãos de Suas Majestades os Reis Magos?

— Pare com isso.

— Pois vários vão ser xingados pela patroa, porque é o cúmulo que até no Dia de Reis se tenha que fazer política.

— Minha mulher pergunta se estou casado com ela ou com o partido.

Leveder ia provocando pequenas tempestades dialéticas.

— Mir, tenho uma ideia para resolver o problema do Dia de Reis.

— Para mim não é problema algum.

---

* "Senhor, tende piedade", oração da liturgia cristã. (N.T.)

– E as crianças? Esperam cheias de ilusão o presente de Reis.

– Meus filhos estão crescidos. E além disso são republicanos desde que nasceram.

Leveder saiu rindo, e Mir piscou para a secretária.

– Esse acha que eu nasci ontem.

– Sempre está de gozação.

– É um bom cara, mas desta vez o peguei.

De bom humor devido ao êxito dialético à custa de Leveder, Mir repartiu sorrisos.

– Fiquei sabendo que Santos está doente. Algo sério? Quem vai presidir?

– O secretário de organização.

Mir respondeu a Sepúlveda Civit. Numa rodinha, riam estrondosamente de algum comentário de Leveder.

– Mir. Chegue aqui, estamos falando de você.

– O que este euroanarquista disse de mim?

– Ele propõe que no Dia de Reis os nossos filhos venham até a sede do Congresso e você entregue a eles os brinquedos vestido de Rei Mago.

– Boa ideia. De negro. Isso foi o que eu fiz toda a minha vida. De negro. Vamos propor no final. E este, o que faz aqui? – perguntou-se em voz alta ao reparar na entrada de Carvalho, guiado por um membro do serviço de segurança.

O detetive avançou até Mir, leu nos olhos dele o incômodo devido à sua presença.

– Santos me deu permissão e me disse que o senhor resolveria meus problemas.

– É meu trabalho. Quais problemas?

– Cobrar e ver o que acontece até a reunião começar.

– Cobrar. Por ali. Saia à direita e pergunte por Céspedes; é o responsável pelas finanças e já foi avisado. Quanto ao resto, não tem problema, pois já chegou até aqui.

– O Esparza Julve já chegou?

Mir analisava a sua cara.

– Por que não viria?

– Foi convocado normalmente?

– Como todos os outros.

Continham os olhares.

– Pelo sim, pelo não, vou cobrar.

Royo, das finanças, era um homem branco, calvo, cauteloso e aragonês. Carvalho atribui o comentário inicial à proverbial nobreza aragonesa.

– Belos tostões o senhor está levando.

– Dói em você?

– Em mim, por quê? Uma vez pagos, estão bem pagos. O que me dói é a pouca seriedade com que este partido trata as finanças. Cada vez que apresento um relatório, dormem ou vão mijar, e depois o Royo é quem tem de tapar todos os rombos, e às vezes não tenho mãos suficientes para tantos rombos. Tem quem acredite que se faz revolução de graça. Cruzo?

Carvalho disse que sim. Colocou o cheque no bolso e voltou para a ampla antessala. Mal entrou e teve a sensação de que a cena havia mudado substancialmente. Um silêncio quase total embalsamava as rodinhas não desfeitas. Os corpos assumiam uma rigidez discutida pelas cabeças que tentavam olhar para qualquer lugar menos um, exatamente para onde Esparza Julve estava recolhendo a sua pasta e conversando de forma convencional com a secretária, com voz que crescia entre o silêncio instalado. Esparza Julve colocou a pasta embaixo do braço, aproximou-se de um grupo de camaradas, fez algum comentário respondido por monossílabos. Testou a sorte em outro grupo. E noutro. Seu andar ficara pesado. De sua posição, Carvalho adivinhou que Esparza tentava aproximar-se da porta sem dar a impressão de fuga. Mas ali estava Mir, diante dele, sem olhá-lo, ordenando: a reunião vai começar. Esparza tentou ultrapassar Mir, mas não conseguiu. Ele o pegou pelo braço e o empurrou sossegadamente até o salão. Esparza sorria palidamente, tentava fazer algum comentário espirituoso. Carvalho seguiu a dupla até entrar na sala, ficou no marco da porta vendo as costas de Mir e Esparza até que chegaram à primeira fileira de mesas. Mir abandonou Esparza, que procurou seu lugar habitual e o ocupou. Como se tivesse sido um sinal, os membros do Comitê Central do Partido Comunista da Espanha em peso se colocaram em pé, afastaram ruidosamente as cadeiras, formaram um círculo compacto ao redor de Esparza Julve, um círculo distanciado, como se criasse um vazio de ar puro ao redor do ponto putrefato, um círculo silencioso, olhos como pregos, duros, alguns chorosos, vermelhos irados, depreciativos. Esparza Julve levantou-se lentamente, recolheu a pasta, avançou alguns passos, chegou a um ponto do círculo, que por ali se abriu, como se obedecesse a uma ordem secreta. Foi então que alguém gritou com a voz estrangulada: "Se nota, se sente, Garrido está presente!". Esparza Julve passou na frente de Mir sem olhá-lo. Carvalho saiu da porta para dar passagem, e o homem passou a seu lado olhando-o de soslaio, com o focinho suado e os olhos de um animal que teme morrer.

– Guarde o medo para lá fora. Aqui só o executaram moralmente. Mas fora, enquanto viver, uma arma estará sendo apontada para o senhor. O senhor é o cúmplice mais importuno do mundo.

– De que está falando?

Mas não se deteve. Fugia como se resvalasse por um túnel de suor. A porta do salão havia se fechado. Começava a reunião do Comitê Central. Carvalho saiu atrás dos passos de Esparza Julve. Deixou que ganhasse terreno. Descer as escadarias de mármore artificial com a pretensa agilidade de pernas que lhe doíam como se fossem o coração. Carvalho demorou para que seus passos não pudessem ser interpretados como uma perseguição. Corre, corre, coelho. E deixou que o coelho saísse com trinta metros de distância, as portas de vidro abertas automaticamente, como se contribuíssem para o cenário do drama, e, no momento em que as portas voltavam a se fechar, uma rajada de metralhadora as transformou num céu de teias de aranha sobre o qual se insinuou a silhueta deformada de Esparza Julve, caindo como um cantil de vinho perfurado por mil mortes. Carvalho atirou-se no chão, e a recepção do Hotel Continental encheu-se de gritos e de vozes. Carvalho ergueu-se e correu até as portas que mantinham uma consistência quebrada. A proximidade de Carvalho pôs em andamento o sensor, as portas começaram a se abrir como se nada tivesse acontecido e logo se decompuseram em pó de vidro, deixando a descoberto o teatro sangrento sobre os degraus da saída. Carvalho passou junto do cadáver de Esparza Julve sem olhá-lo, como se fosse um traje vazio. Carmela estava entre o público contido pela polícia. Interrogou Carvalho com o olhar. O detetive se fez acompanhar até o carro e entrou nele, esperando que Carmela reagisse e assumisse a direção.

– Quem era?
– O assassino de Garrido. Foi morto.
– Foi de um carro. Eu estava telefonando para a polícia da cabine da esquina. Havia um carro estacionado em fila dupla, como muitos outros, e de repente começaram a disparar com metralhadoras enquanto saíam. Quem era?
– Esparza Julve.

– Você está louco? Sabe de quem está falando?
– Já era um cadáver quando saiu do hotel. Já o tinham matado de desprezo.

A PONTE AÉREA na estação madrilena parece sempre um ensaio geral de repatriados catalães no contexto de um filme sobre a guerra das galáxias. Carvalho colocou seu cartão azul no bolso superior do casaco e, sem querer, tentou convencer Carmela a retornar para Madri. Carmela não dizia nem que sim nem que não, mas seguia caminhando a seu lado, para cima e para baixo de um estúpido e largo corredor que ia dar num armazém de horríveis sanduíches de presunto a seco até nada, até o mais absoluto nada. Impossíveis os desejos, as palavras também haviam acabado, e talvez por isso Carvalho propôs que bebessem alguma coisa, uma cerveja, por exemplo, propôs a antialcoólica Carmela. Águila sempre geladinha com seu sabor tão natural, ela cantarolou.

– Saindo dois chopes! E um pastel de carne!
– Será bom esse pastel?
– É simbólico. É um monumento à carne desconhecida.

Mas comeu e, ao procurar apoio para os cotovelos, pediu desculpas ao vizinho. Ali estava, a um palmo do seu rosto, o pássaro triste de Cerdán, suas sobrancelhas caídas, seus olhos caídos, seus lábios caídos.

– Tantos anos sem nos vermos e agora é dia sim, dia não.
– Verdade.
– Acabou o seu trabalho em Madri?
– Totalmente.
– Vou para Barcelona.
– Eu desconfiei.

– Você segue se relacionando com os velhos camaradas?

– Não.

– Eu sim. Estão quase todos desencantados, é o resultado de uma política revisionista, reformista. Vou tentar fazer algo. É preciso conseguir uma mínima unidade de ação e a partir dela forçar os partidos históricos a reagir, a jogar fora uma direção pequeno-burguesa.

– Desejo um grande sucesso em seu trabalho.

– Somos poucos. Caluniados. Casados.

– Você faz eu me lembrar da piada dos galegos.

Cerdán suspirou, resignado a aceitar uma vez mais a incongruência racionalista de Carvalho.

– Que piada?

– A dos cinco mil galegos vagando pela Casa de Campo e gemendo queixosamente: Nós tamo perdidu!

– Não acho graça da situação. Me faz chorar.

– Isso é coisa sua.

– Seguimos vivendo em tempos nos quais não podemos ser amáveis. O que restou dos sorrisos do neocapitalismo? Não é um deboche à classe operária e aos povos oprimidos do mundo, o sorriso do pacto eurocomunista?

Cerdán aplicou-se em mastigar sem vontade um horrível sanduíche de presunto à madrilena, pão duro, presunto plastificado e ar serrano.

– Como vai a saúde?

– Não me acompanha.

– Apesar da ginástica e do rigor da dieta?

– Apesar de tudo.

– Já experimentou um regime de bacalhau ao *pil pil**, champanhe gelado e foder como um louco?

---

* O bacalhau ao *pil pil* é um prato tradicional da cozinha basca elaborado com azeite, alho e malagueta. (N.T.)

– Ganho um humilde salário de adjunto. Você, ao contrário, não faz política nem carreira universitária nem nada. Mas as coisas vão bem para você. Parecia tímido, mas é um homem de recursos. A propósito...

– O quê?

– Não. Não lembro o que ia dizer. Deixe pra lá.

– Sim. Lembra, sim. Outro dia você esteve a ponto de me perguntar algo depois do lançamento do livro. É uma pergunta que ficou dentro de você como um quisto. Posso fazê-la por você?

– Faça.

– O que você estava fazendo naquele dia na Via Laietana, no covil da polícia de Barcelona? O que um vermelho como você fazia descendo tranquilamente as escadas de uma casa como aquela?

– Não exatamente assim, mas a minha pergunta seria parecida.

– Tenho a tentação de não responder.

– Pode fazer isso.

– Poderíamos marcar um encontro para daqui a 25 anos. Neste aeroporto. Em outra das suas escalas da revolução protelada e no final de outro dos meus negócios, e então eu lhe diria.

– Eu não vou viver outros 25 anos.

– Jura?

– Quase.

– Então, quero ser misericordioso e vou desvendar o meu segredo. Confesso minha culpa. Sou quase galego. E não há galego que não tenha uma empregada, um guarda civil ou um policial na família, seja mais perto ou mais distante o parentesco. É preciso assumir isso. Desde que nasci soube que havia chegado a uma família de criadas, guardas civis e comunas condenados à morte em 1936 ou em 1939. O proletariado também é multicultural.

– Um parente.
– Um parente.
– Poderia ter dito.
– Eu era um jovem esteta.

Cerdán abandonou definitivamente a luta contra o sanduíche, Carmela lia o *El País* alheia à conversa entre os dois homens, Carvalho via seu primo Celestino no fundo do copo, um moçoilo céltico, ignorante, boa pessoa, com as mãos sujas do fascismo.

– Não gosto, Pepinho. Mas, se eu me negar, serei desleal. É preciso passar por isso. Já procuro me esquivar o que posso.

Ou as mãos sujas de terra, ou as mãos sujas de carne humana.

– Logo embarcaremos.
– Parece que sim.
– Vamos no mesmo avião?
– Acho que não.

Cerdán considerou que era uma resposta científica, apesar de Carvalho não ter se incomodado em comparar a cor dos cartões de embarque.

– Adeus.

Carmela tirou os olhos do jornal.

– Digamos que não foi um encontro muito amável. É evidente que foi sincero.

– Devo a esse homem 50% do que fui e absolutamente nada do que sou.

– É um homem honesto.

Carvalho deu de ombros. "Passageiros com cartões azuis, preparem-se para embarcar." Carmela o pegou pelo braço e caminharam como um casal até a sala de embarque.

– Volte algum dia. Quando tiver resolvido a contradição entre a bunda abstrata e a bunda concreta das camaradas.

– Você precisa engordar cinco quilos. Minha consciência me impede de ir para a cama com mulheres que pesem menos de cinquenta quilos.

– Mas eu peso 53!

– Que pena. Por que não me disse antes?

Carmela o beijou nos lábios com uma boca pequena e doce. Carvalho procurou deixar cem passageiros de distância entre ele e um Cerdán que embarcou no avião e se sentou sem olhar para trás.

Apesar de Biscuter ter assegurado que Charo estava bem e de tê-lo tentado a se aproximar do escritório em busca do seu prato preferido, Carvalho optou por telefonar para Charo e ir diretamente do aeroporto para a sua casa em Vallvidrera. Dormir ou não dormir, essa era a questão depois da exibição de cabeçadas e roncos com a qual havia obsequiado dúzias de executivos, animais híbridos barceloneses ou madrilenos que tinham acolhido com risadas e até estalidos de língua o desesperado e guloso sono de Carvalho.

– Vamos nos ver esta noite?

– Vou dormir todo o dia. Espero por você em Vallvidrera.

– Te amo muito, Pepe.

– Ah, tá bem.

Ah, ela. Um dia em que não tivesse nada para fazer marcaria em algum calendário futuro a data do casamento com Charo. Antes do ano 2000, certamente. Ou dentro de quinze dias. Não pôde lembrar onde havia deixado o carro na imensidão do estacionamento do aeroporto e teve que procurá-lo como se procura um rosto na multidão. Aqui estou, reclamou o animal abandonado, coberto de intempéries e esquecimentos. Era o primeiro contato com parte da sua toca, sua toca rodante, e cumprimentou a máquina perguntando como tinha passado. Recebeu uma tardia, rebelde resposta do arranque, mas logo a máquina impacientou-se várias vezes até a asfixia enquanto esperava o trâmite do pagamento e dirigiu-se alegremente para a rua que levava até a estrada de Castelldefels. Era um dia de sol, e as colinas em frente ao Tibidabo e Montjuïc apareciam respaldadas por um Mediterrâneo abalizador, por um Mediterrâneo que prolonga o sangue dos ribeirinhos até os limites dos quatros pontos cardeais mais favoráveis do mundo. Uma fé mediterrânea na vida apoderou-se de seus músculos cansados e, ao chegar à saída do anel rodoviário para a Travesera de las Corts, errou voluntariamente a rua de casa para procurar a Diagonal, com um almoço sólido e verdadeiro de carnes assadas e vinhos cabais. Depois de uma boa refeição, dormir seria um prazer exato e controlado, não uma fuga, não a fuga de um cachorro castigado, perdido, sem coleira. E entrou em La Estancia Vieja como quem vai comer o mundo, comer e bebê-lo.

– Um aperitivo? – propôs Juan Cané, o dono.

– Um *pisco sour*, para os dois.

Cané foi pedir que reservassem um bom filé para Carvalho, maminha não, tem estado dura a maminha. Depois do segundo *pisco sour*, Carvalho decidiu que o mundo estava bem-feito e deixou-se levar pelo afã tentador de Cané: amostra de patês, matambre na brasa, patê de moleja, de verduras, de tudo um pouco, *chinchulín*? Carvalho não lembrava o que eram os *chinchulíns*. O intestino delgado trançado e feito na brasa. Pois *chinchulíns*, molejas assadas? Também, queijo frito com ervas aromáticas? Por que não? E ainda o filé? Evidente. Cané começava a se assustar com a dinâmica que desencadeara. Sentou-se à mesa de Carvalho para assistir ao espetáculo de uma refeição desencadeada. Paternina reserva 1959. E agora me diga, me explique, mesmo que seja em argentino, o que querem dizer essas maravilhosas palavras: assado de tira, capa do filé, *chimichurri*. O argentino tirou uma caneta do bolso e começou a desenhar animais de quatro patas, cortados, as diferenças de corte de carnes entre uma cultura com escassez de carne como a espanhola e uma cultura na qual a carne é tudo, como a argentina.

– Os senhores cortam a costela da vaca na horizontal e a utilizam para o caldo. Lá nós a cortamos em sentido vertical, e esse é o assado de tira. Devagarinho. A graça do churrasco consiste em se fazer devagarinho. A capa do filé? A maminha? Aqui cortam o *entrecôte* de uma só maneira. Mas dentro do que aqui chamam *entrecôte* há carnes com diferentes texturas, sabores, e segundo a forma como se esquarteja essa parte do novilho se consegue cortes diferentes: a capa do filé, a maminha. A maminha é problemática porque, se o animal não é um novilho, tenro, bem-feito, fica dura. Quando sai boa é o melhor do bicho. E o *chimichurri*, esse oceano de *chimichurri* com o qual você, Pepe Carvalho, banhou as carnes, a tábua, é um molho para churrasco, alho, salsinha, pimenta, sim, parecido com o *chile* mexicano, mas não tão forte, ervas aromáticas, azeite. Ainda está com fome para limpar o *chimichurri*?

– Não é fome, Juan, é sono.

A segunda garrafa de Paternina de 59 foi patrimônio exclusivo de Carvalho. Cané comia no restaurante todos os dias, Carvalho de vez em quando; caso não se controlasse, acabaria com o fígado na garganta. De onde você está vindo? De Madri. Como estão as coisas? Também terei de ir embora da Espanha com o restaurante nas costas? Não vai acontecer nada. Quem foi o estúpido que eliminou o Garrido? O que você achava do Garrido?

– Isso que estão comendo naquela mesa, o que é?

– Você ainda tem vontade de olhar os pratos alheios?

– É preciso sempre desejar as mulheres e os pratos alheios.

– Espeto de cordeiro assado. Quer provar?

– Outro dia. Você dizia? Não. Não vai acontecer nada. Não terá de ir embora com o restaurante nas costas. Garrido? Ainda não se sabe. O que eu acho? Não sei. Vai demorar para sabermos. Ou um chefe índio ou um revolucionário de transição entre o assalto do Palácio de Inverno e o socialismo evidente, como as figueiras maduras. Mas eu não entendo de política. Não quero entender de política. Não me interessa a política. Jamais farei o menor esforço para aprender isso que falam os watusi; tampouco farei o menor esforço para aprender política. Até agora lia os jornais, agora nem isso.

Cané observou que Carvalho falava sem tirar os olhos da mesa onde tinham servido o assado de cordeiro; ia reiterar a oferta para prová-lo quando percebeu que Carvalho não olhava o prato, mas uma mulher entre castanha e ruiva, com uma esplêndida pele rosada, uma boca fenomenal, ossos de arquitetura premiada. Inclusive, lhe pareceu, os olhos da mulher e os de Carvalho se encontravam entre palavra e palavra, bocado e bocado, à margem dos três homens que a acompanhavam, à margem do próprio dono do restaurante.

– Sobremesa?
– Cafés.
– Quantos?
– Cinco.

– Mas não queria dormir?

– Tenho toda a tarde pela frente.

O olhar de Carvalho seguia atento à mesa, à moça ou ao peito de cordeiro, comido lentamente, como uma raridade.

– Puro?

– Puro.

– Alguma bebida?

– Sabe preparar um digestivo?

– Temos no cardápio. Não é argentino. É chileno. É um digestivo excelente: conhaque, creme de menta.

O garçom trouxe o licor de Carvalho. O detetive pegou a taça, examinou à contraluz da penumbra o verde-topázio, ergueu a taça como se a oferecesse a alguém e, de fato, Cané comprovou que Carvalho oferecia um brinde para a mulher rosada e que ela, dissimuladamente, pegava uma taça de vinho e lhe devolvia o brinde enquanto continuava a conversa com os seus companheiros de mesa.

– Um flerte.

– Não. Eu a conheço. O nome dela é Gladys. É chilena. Foi quem me fez provar pela primeira vez o digestivo.

Abril de 1979 – janeiro de 1981.

"Uma delícia de ler." The Times
Agatha Christie
AUTOBIOGRAF
Agatha Christie
MISS MARPLE
todos os romances
Primeiro volume
Assassinato na casa do pastor
Um corpo na biblioteca
A mão misteriosa
Convite para um homicídio
L&PM
Agatha Christie
POIROT
QUATRO CASOS CLÁSSICOS
TRÁGEDIA EM TRÊS ATOS
CIPRESTE TRISTE
MORTE NA PRAIA
A MANSÃO HOLLOW
Agatha Christie®
EM TODOS OS FORMATOS
AGORA TAMBÉM EM FORMATO TRADICIONAL (16x23)
AGATHA CHRISTIE
MISTÉRIOS DOS ANOS 30
O mistério Sittaford
Por que não pediram a Evans?
É fácil matar
AGATHA CHRISTIE
MISTÉRIOS DOS ANOS 40
M ou N?
Hora Zero
Um brinde de cianureto
A Casa Torta
L&PM
AGATHA CHRISTIE
MISTÉRIOS DOS ANOS 50
Aventura em Bagdá
Um destino ignorado
Punição para a inocência
O Cavalo Amarelo
L&PM
AGATHA CHRISTIE
MISTÉRIOS DOS ANOS 60
Noite sem fim
Um pressentimento funesto
Passageiro para Frankfurt
Portal do destino
L&PM EDITORES

Biografias
L&PM POCKET

Personalidades
que mudaram o mundo
agora na palma da sua mão.

IMPRESSÃO:

Pallotti
Santa Maria - RS - Fone/Fax: (55) 3220.4500
www.pallotti.com.br